Jeunesse

MYSTIK, LE CHAT

S.F. SAID

MYSTIK, LE CHAT

TRADUIT DE L'ANGLAIS
PAR JÉRÔME JACOBS

ILLUSTRATIONS DE
STÉPHANE GIREL

HACHETTE
Jeunesse

Qui est l'auteur ?

S.F. Said est né à Beyrouth, au Liban, en 1967. Comme Mystik, le chat bleu de Mésopotamie, l'auteur vient du Moyen-Orient... mais vit à Londres, en Angleterre, depuis l'âge de deux ans. S.F. pense que le fait de vivre juste en dessous de l'appartement de Quentin Blake, le fameux illustrateur, l'a peut-être incité à devenir écrivain pour la jeunesse... S.F. dit volontiers que des auteurs comme Roald Dahl ou Rudyard Kipling ont fait de lui ce qu'il est aujourd'hui. L'auteur vit dans un appartement couvert de livres, de disques, de bandes dessinées...

Ce roman a été publié en
Grande-Bretagne par les Éditions David Fickling Books,
une division de Random House Children's Books,
en 2003, sous le titre

VARJAK PAW

There's no place like home[*]
The Wizard of Oz

[*] On n'est jamais aussi bien que chez soi

1

COMME CHIENS ET CHATS

Le vieux Noé racontait une histoire avec cette flamme dont il avait le secret.

Une aventure fascinante...

Mystik, jeune chaton déluré, adorait écouter son grand-père narrer les exploits de Calife, leur illustre et vénérable ancêtre : comment Calife avait combattu les chats guerriers les plus farouches ; comment Calife était devenu le chasseur le plus redouté, comment Calife avait fui la

Mésopotamie pour s'aventurer aux confins de la terre et du ciel. Plus loin, assurément, qu'aucun autre chat avant lui !

Lorsque Noé parlait, Mystik, qui ne tenait jamais en place, se figeait telle une statue antique, l'oreille dressée, les moustaches aux aguets, tout en ronronnant de plaisir.

Mais, cette fois, le récit du vieux Noé avait plongé Mystik dans une profonde mélancolie. Calife avait peut-être vécu toutes ces aventures exaltantes, mais lui, Mystik, il n'en connaîtrait jamais de pareilles. Alors, à quoi bon ?

Fatigué, le héros avait fini ses jours dans la maison de la Comtesse. Ses descendants, tous des chats bleus de Mésopotamie, y avaient élu domicile à perpétuité.

À l'époque de Calife, plusieurs siècles auparavant, la vieille demeure devait resplendir de lumière et de vie. Aujourd'hui, elle croulait sous la poussière et sentait le moisi. Les fenêtres étaient toujours closes, les portes toujours verrouillées. Il y avait bien un jardin, mais il était entouré d'un mur de pierre infranchissable. Calife avait été le dernier à passer par-dessus.

Depuis, personne n'avait quitté la maison de la Comtesse.

Les autres membres de la famille avaient fini par se lasser des sempiternels récits de Noé, et plus personne ne l'écoutait raconter les aventures de Calife avec plaisir, excepté Mystik.

Les parents du chaton, Léopold et Léonie, ainsi que sa tante Agathe, somnolaient sous les rayons ambrés du soleil de fin d'après-midi, qui leur chauffait le poil au travers des vitres épaisses.

Son grand frère Julius était occupé à mesurer l'épaisseur de ses muscles. Quant à sa cousine Jasmine, elle jouait avec son collier. Mika, Makila et Méphisto, ses frères issus de la même portée que lui, s'amusaient à ces jeux de petits chats dont Mystik ne voyait pas l'intérêt et auxquels on ne l'invitait d'ailleurs pas à participer.

Soudain, Mystik prit conscience que personne ne le regardait.

C'était le moment ou jamais.

Il était déjà allé dans le jardin, bien sûr, mais la famille se méfiait de cet endroit et ses parents ne l'autorisaient jamais à y rester très longtemps.

Aussi discret que l'aurait été Calife lui-même, Mystik se leva et se dirigea vers la chatière à pas feutrés. Dans les interstices, il distinguait le jardin, de l'autre côté. Il sentait déjà l'air frais lui caresser les moustaches. Pointant un coussinet vers le battant de la chatière, il s'apprêtait à se glisser au-dehors, lorsque...

— Mystik !

C'était la voix impérieuse de son père.

— Où vas-tu, comme ça, mon fils ?

Mystik pivota sur lui-même. Noé avait terminé son récit, que tout le monde connaissait par cœur de toute façon. Mais, lorsque la voix chevrotante s'était tue, ils s'étaient tous réveillés, comme surpris par le silence.

— On n'a plus le droit d'aller dans le jardin, maintenant ? C'est nouveau, ça vient de sortir ? persifla Mystik.

— Mon chéri, répliqua sa mère en s'approchant de lui pour remettre son collier en place, le jardin est un endroit très mal fréquenté. Tu pourrais y faire des rencontres peu recommandables et surtout... dangereuses. N'oublie jamais que tu es un chat de pure race, un bleu de Mésopotamie, tu as un pedigree. Dis-moi, mon chéri, pourquoi diable veux-tu aller traîner par là ?

Mystik regarda autour de lui : les meubles vermoulus, les placards verrouillés, les rideaux auxquels il n'avait pas le droit de grimper. Quelle galère ! Il n'était jamais allé nulle part ailleurs, mais il en était sûr : cette vieille bicoque était l'endroit le plus ennuyeux du monde.

— Pour chasser, répondit-il en s'efforçant de paraître naturel. Les félins sont des chasseurs, non ? Toutes les histoires que nous raconte grand-père...

— Ce ne sont que des histoires ! railla Julius, son frère aîné, dont les yeux verts étincelaient dans la pénombre.

Des yeux d'un vert émeraude.

Leur ancêtre Calife avait les yeux verts, lui aussi. À dire vrai, tous les membres de la famille avaient les yeux verts. Tous, sauf un : Mystik.

— Et les histoires, c'est pour les bébés, ajouta Julius pour faire bonne mesure.

Jasmine pouffa de rire. Le poil de Mystik se hérissa.

— Calife a vécu il y a bien longtemps, intervint Léonie, lissant de sa langue râpeuse la fourrure gris-bleu de son fils. Et s'il est venu vivre ici, dans la maison de la Comtesse, c'était pour une bonne raison.

Mystik se tortilla pour échapper à l'emprise maternelle.

— Quelle bonne raison ? miaula-t-il d'un ton de défi.

— Toi qui écoutes toujours si attentivement le récit des aventures de notre cher Calife, tu sais qu'il a dû maintes fois combattre les monstres du dehors. Ces monstres énormes qu'on appelle des chiens. Si féroces que même les hommes s'en défient.

Elle frissonna, les moustaches frémissantes d'effroi.

— Tu sais, mon chéri, nous avons vraiment beaucoup de chance que la Comtesse nous aime, souhaite nous protéger et nous permettre de vivre dans ses murs.

— *Mmiiouiii...* l'interrompit Julius d'un ton sceptique. Enfin, si je peux me permettre, disons que la Comtesse aime certains d'entre nous *miaa...eux* que d'autres...

Mystik savait exactement ce qui allait suivre. Pis encore, il savait que c'était sans doute vrai.

— Quand j'étais chaton, reprit Julius en adoptant la démarche d'un tigre sur le sentier de la guerre, il ne se passait pas un jour sans que nous recevions la visite de la Comtesse. Elle me faisait sauter sur ses genoux, elle était pleine d'attentions pour moi. Désormais, elle ne descend plus que pour nous donner à manger, et encore. On ne la voit pratiquement plus depuis... Il marqua un temps d'arrêt, puis décocha la flèche fatale : ...depuis que Mystik est né. C'est sans doute à cause de sa drôle de binette !

Jasmine pouffa de nouveau et Mika, Makila et Méphisto, les trois frères cadets de Mystik, se mirent de la partie.

— Je suis *sûûûr* que c'est à cause de ses yeux, insista Julius. Ils sont de la couleur du danger. Un chat bleu de Mésopotamie dont les yeux ne sont pas verts, c'est du... jamais vu !

— On n'en croit pas... ses yeux ! renchérit Jasmine en minaudant.

Cette fois, la coupe était pleine. Julius avait beau être plus grand et plus âgé que lui, Mystik s'arc-bouta devant son frère et se mit à feuler.

— Menteur ! Menteur !!

— Mystik ! le mit en garde Léopold. Tu dois le respect à ton aîné.

— Mais il a... Il a dit que... protesta le jeune chat.

— Écoutez le minou-minou-à-sa-maman ! se moqua Julius. Toujours à gémir, toujours à se plaindre... *miaou... miiiaaouuuuuhh... là là... !!*

Leur père secoua la tête d'un air réprobateur.

— Julius, tu ne devrais pas tant taquiner ton frère cadet. Si la Comtesse reste à l'étage, c'est parce qu'elle est malade, voilà tout. Pour ta part, Mystik, tu dois apprendre à te comporter comme un chat bleu de Mésopotamie digne de ce nom. Nous ne traitons pas les autres de menteurs. Nous ne pratiquons pas d'activité aussi répugnante que la chasse. Et nous ne salissons pas nos pattes dans le jardin. Tu comprends, mon fils ?

Le nez de Mystik se fronça. Toujours la même histoire ! On passait tout à Julius. Mais lui, Mystik, avait toujours tort.

— Ton père te parle, fit tante Agathe, qui ne perdait pas une occasion de s'immiscer dans la conversation. Tu comprends ce qu'il te dit ?

Le chaton courroucé n'eut d'autre choix que de baisser la tête et de contempler le sol glacé. Que répondre alors que tous se liguaient contre lui ?...

— Comme tu veux, mon fils. Fais ta mauvaise tête. Mais tant que tu ne te comporteras pas comme un vrai chat bleu de Mésopotamie, tu n'auras rien à manger.

Comme pour donner davantage de poids à la sentence qu'il venait de prononcer, Léopold se lécha les flancs, puis releva la tête d'un air martial.

— Les autres, suivez-moi. Passons à table !

Toute la famille partit en direction de la cuisine, abandonnant Mystik à son triste sort. Le grand-père, qui fermait le cortège et pensait encore être le chef de famille, se pencha vers son petit-fils préféré.

— Ne t'en fais pas, mon petit, lui glissa-t-il à l'oreille pour que personne d'autre ne l'entende. Je te raconterai une autre des aventures de Calife ce soir... sa plus grande bataille... tu verras !

Avec un clin d'œil complice, il s'en alla rejoindre ses descendants, qui ne pensaient qu'à manger.

Quelque peu rasséréné à la perspective d'entendre pour la cinquante et unième fois en cinquante et un jours le récit des exploits de Calife, le chat sans peur et sans reproche, Mystik s'allongea sur les dalles glacées du couloir, au pied de l'escalier qui menait à la chambre de la Comtesse. Un endroit où les chats n'avaient plus droit de cité depuis qu'elle était malade.

Quel ennui !

Il ne se passait jamais rien dans cette bâtisse désertée.

Pire qu'une vie de chien !

Craaaccc ! Bang !
La porte d'entrée s'ouvrit toute grande. Le vent s'engouffra dans le hall, soulevant un nuage de poussière virevoltante. Mystik s'arrêta de respirer, autant pour ne pas remplir ses poumons de particules malsaines que pour ne pas attirer l'attention.

Clac-clac-cloc.
Une paire de chaussures noires cirées de frais venait de faire son apparition au niveau du sol.

Énormes !

De vrais battoirs.

Le Chat botté, peut-être... ?

Le regard de Mystik remonta le long de jambes interminables et se posa sur deux gigantesques mains blanches, assez grandes pour l'envelopper tout entier, assez puissantes pour lui rompre le cou.

Ce cou fragile, Mystik dut le cambrer et l'étirer de toutes ses forces, jusqu'à se faire mal, pour apercevoir le visage du nouveau venu. C'était un homme que, Dieu des chats merci, Mystik n'avait jamais vu. Difficile de distinguer la couleur de ses yeux, masqués par l'ombre que projetaient ses sourcils broussailleux. Mais la bouche lippue, toute rose, luisait à contre-jour...

Les lèvres s'entrouvrirent pour faire place à une voix tonitruante, et l'homme se dirigea à grands pas vers l'escalier.

Mystik se recroquevilla sur lui-même.

Du coin de l'œil, il aperçut encore deux chats noirs à la silhouette élancée, qui se tenaient de chaque côté de leur maître.

Une chose était sûre : ce n'étaient pas des chats bleus de Mésopotamie ! Ils étaient bien plus gros... enfin, bien moins fins, et bien plus forts aussi, que le père ou le frère aîné de Mystik.

Leur démarche avait de quoi faire dresser le poil sur le dos. On aurait dit les deux moitiés d'un même corps, en parfaite harmonie. Pour tout dire, ils étaient... trop parfaits ! Mystik n'aurait pas été en mesure de les distinguer l'un de l'autre. Deux copies conformes.

Deux clones, peut-être ?

Soudain, ils infléchirent leur parcours pour venir l'examiner. Ils se penchèrent au-dessus de lui, semblables à deux têtes chercheuses. Leurs yeux étaient identiques, aussi soyeux et noirs que leur fourrure. L'espace d'un instant, Mystik eut l'impression de voir double. Il se mit à trembler de tous ses membres.

— Qui êtes-vous ? interrogea-t-il.

Il ne discerna aucune lueur d'entendement dans leur regard, aucune expression. Le vide absolu.

Ils se contentèrent de le pousser de côté, comme un vulgaire nain de jardin, et s'en allèrent prendre position, l'un au sommet, l'autre sur la première marche de l'escalier.

C'est alors que d'autres hommes firent leur entrée dans la maison. Leurs chaussures rutilantes claquaient sur le marbre du hall et passaient devant lui, une à une, telle une armée en marche. Mystik ne voyait plus rien d'autre que des semelles de géants, disciplinées, intraitables, menaçantes.

Cloué sur place, la tête à l'envers, il contempla ces monstres bien plus monstrueux que des chiens monter l'escalier quatre à quatre jusqu'au premier étage. Là, ils pénétrèrent dans la chambre où même les chats bleus de Mésopotamie étaient interdits de séjour.

De toute évidence, il se passait enfin quelque

chose d'inhabituel dans le manoir de la Comtesse. Était-ce pour le meilleur ?

Ou pour le pire... ?

2
DES INTRUS TRÈS INQUIÉTANTS

Que faire ? Rien de tel ne s'était jamais produit dans la maison de la Comtesse.

Fallait-il en parler à la famille ? À coup sûr, les aînés sauraient quelle attitude adopter. Noé les guiderait.

Mystik hésita encore un instant. Deux paires d'yeux noirs, identiques, étaient posées sur lui. Mais leurs propriétaires demeuraient de marbre.

Pris de panique, le chaton courut à toutes pattes vers la cuisine.

Les deux intrus ne le suivirent pas. Ils restèrent au pied de l'escalier, pour monter la garde.

Qui étaient donc ces chats ? D'où venaient-ils ? Et leur maître, que voulait-il ?

Mystik s'immobilisa à l'entrée de la cuisine, les moustaches aux aguets. Il glissa un œil à l'intérieur. Tout semblait normal. La famille au complet y était assemblée. Les trois générations de bleus de Mésopotamie dégustaient leur dîner, en rangs serrés devant leurs écuelles. De la pâtée, de l'eau, et des soucoupes blanches pleines de lait.

Il les observa un moment à distance, dans la pénombre. Il se sentait soudain comme un étranger. Eux avaient l'air si noble, avec leur fourrure bleue parfaitement lissée, leurs yeux verts, leur petit collier bien attaché autour du cou.

L'aristocratie des félins.

Léopold leva le museau de son écuelle.

— Ah, Mystik ! Alors, mon fils, es-tu enfin prêt à te comporter dignement, ainsi qu'il sied aux bleus de Mésopotamie ?

Mystik hésita. Son père interpréta ce silence comme un acquiescement.

— Très bien. Tu peux te joindre à nous.

Et il se remit à laper son lait bruyamment.

— Tu t'es lavé les pattes ? demanda Léonie.

Au lieu de répondre, Mystik s'exclama de but en blanc, tout en se dandinant d'une patte sur l'autre :

— J'ai vu d'autres chats dans la maison ! Des chats noirs ! Et ils...

Léopold dressa l'oreille. Une goutte de lait se détacha de ses moustaches.

— Mystik... chut ! interrompit sa mère.

Le chaton se sentait à la fois coupable et... investi d'une mission de la plus haute importance. De toute sa vie, jamais il n'avait dû s'acquitter d'une telle responsabilité. Il fallait forcer son père à l'écouter.

— Ils sont arrivés avec plusieurs hommes. Des hommes qui sont...

— Mystik ! tonna Léopold en secouant la tête violemment.

Tous les autres furent éclaboussés de lait.

— ... qui sont même... montés dans la chambre de la Comtesse ! termina Mystik.

Un silence de plomb s'abattit sur la cuisine. La dégustation du dîner s'arrêta net. Plus personne ne mâchait. Tous contemplaient l'insolent d'un air accusateur.

— Je ne le comprends pas, marmonna Léopold en se tournant vers Léonie. Pourquoi ne peut-il pas se comporter comme tous les autres ?

— Est-ce que tu t'es lavé les pattes, mon chéri ? demanda la mère de Mystik pour faire diversion.

Elle s'approcha de lui et entreprit de faire sa toilette. Mystik n'en revenait pas. Personne ne le croyait. Ce n'était pas juste ! Au milieu des siens, il se sentait soudain sans ami, seul au monde.

— Allons, arrête, Mystik ! Ce n'est pas drôle, lui lança sa cousine Jasmine. Viens plutôt manger avec nous. C'est délicieux, tu sais ?

Elle s'était adressée à lui d'une voix aussi douce et soyeuse que le lait frais du petit matin, ourlé de miel.

— Je ne peux pas manger, répondit-il. J'ai l'appétit coupé.

Se pouvait-il qu'au moment où leur territoire était soudain envahi par une armée entière les siens ne pensent qu'à manger et à faire leur toilette ? Pourtant, l'heure était grave !

N'écoutant que son instinct, il revint à la charge.

— Que vous le vouliez ou non, il y a des chats noirs dans la maison...

Silence de marbre.

Puis :

— Oh, qui se soucie de ce petit insecte ? railla Julius. Moi, je vais la manger, la part de Mystik. Je dois développer mes muscles.

Julius fit gonfler ses biceps. Puis il piocha dans l'écuelle de Mystik. Jasmine le regarda avec admiration.

— Tu entends ça, Mystik ? gronda son père. Julius est un vrai bleu de Mésopotamie, lui, ajouta-t-il d'un ton sentencieux.

Le poil de Mystik se hérissa. Julius était peut-être le héros de la famille, mais Mystik savait quelque chose que tous les autres ignoraient, quelque chose d'important. Comment parvenir à le leur faire comprendre ?

— Je le jure... sur la tête de Calife, insista-t-il. Les chats dont je vous parle montent la garde en ce moment même au bas de l'escalier. J'ai croisé leur regard, ajouta-t-il en tentant de les imiter. Ils sont tout noirs.

— En voilà assez ! hurla son père. Arrête de raconter des fariboles. Ce sont des... contes à dormir debout !

Il avait prononcé le mot contes avec dégoût.

— Aaah... fit une voix chevrotante. Mais tu

devrais savoir, mon fils, que certains contes recèlent une part de vérité.

Puis, se tournant vers Mystik, Noé ajouta :

— Pourquoi ne nous les montres-tu pas ? Conduis-nous jusqu'à ces chats.

Léopold jeta un regard noir au vieillard, mais demeura silencieux. Chez les bleus de Mésopotamie, le chef de famille avait toujours le dernier mot.

Certes, le grand-père de Mystik vieillissait – son beau pelage avait presque entièrement viré au gris – et il était rare qu'il ouvre la bouche. Mais chacun buvait ses paroles.

L'estomac noué, Mystik prit la tête du groupe et s'engagea dans le couloir. Lorsqu'il tourna le coin et arriva en vue du hall d'entrée, il perçut l'esquisse d'un mouvement du côté de la porte. Un homme la tenait ouverte pour les autres. Ils emportaient quelque chose. Leur collant aux talons, deux queues noires zigzaguèrent hors de la maison.

Au moment précis où le reste de la famille pénétrait dans le hall, la porte se referma. Si bien que personne d'autre que Mystik ne vit les chats noirs, ni le groupe d'hommes.

La mère de Mystik leva la tête vers le premier

étage. Un homme était accoudé à la balustrade. Elle plissa les yeux, huma l'air, et se tourna vers son fils.

— Eh bien, c'est un visiteur comme les autres, commenta-t-elle. Un gentleman...

La bouche lippue luisait dans la pénombre.

— Je me rappelle quand nous étions petits, intervint tante Agathe. De belles dames et de beaux messieurs venaient chaque jour rendre visite à la Comtesse.

Tous levèrent la tête vers le premier étage. Le « gentleman » n'avait rien d'un « beau monsieur ». On aurait dit un fort des halles. Un trois-quarts aile de rugby. Le colosse de Rhodes, peut-être. Mais pas un gentleman.

Étrangement, la porte de la chambre de la Comtesse était ouverte. Tout le monde se hâta de gravir l'escalier. Les chats ne l'avaient pas vue depuis si longtemps. Mais une fois en haut, ils tombèrent en arrêt. Il n'y avait personne à l'intérieur.

La chambre était vide.

Noé, pensif, dodelinait de la tête. On aurait dit qu'il cherchait à se remémorer quelque souvenir bien enfoui dans son passé. Le gentleman pointa le doigt en direction de la chambre de la Comtesse et prononça quelques mots d'une voix de stentor. Puis il s'accroupit pour se mettre au niveau des chats.

Il adressa à chacun, tour à tour, un sourire de ses lèvres saumonées, suintantes.

Mystik se retourna avec nervosité en direction de la porte d'entrée. Les chats noirs n'étaient pas revenus. Il espérait ne jamais les revoir.

Avec un grand geste, le gentleman sortit un objet de sa poche. De sa main blanche, à la texture cireuse, il le tendit à la famille assemblée. Puis il murmura quelques paroles. Curieux, tous approchèrent pour découvrir cet étrange objet.

C'était un jouet en forme de souris.

Petite, grise, duveteuse. Une imitation parfaite, dans les moindres détails, à croire qu'elle était vivante.

L'homme la posa par terre devant eux. Mystik renifla la bête. Même son odeur était réelle.

Lui qui avait toujours rêvé de chasser une souris !

— Laisse-moi voir, dit son père.

Léopold examina le jouet sur toutes les coutures.

— Étonnant, constata-t-il en ronronnant.

Puis, d'un coup de patte, il l'expédia en direction de Julius. Celui-ci l'envoya en l'air d'une pichenette, avec style. Puis ce fut au tour de Mika, de Makila et de Méphisto de s'en amuser. Tous riaient à belles dents. Mystik se demanda s'il pourrait jamais la récupérer. Probablement pas.

— Quel jouet magnifique ! s'écria Léonie.

— Le plus beau que nous ayons jamais eu, renchérit Jasmine en roucoulant de plaisir.

Le gentleman leur sourit de nouveau et se remit debout. Puis il leur fit signe de le suivre et tous lui emboîtèrent le pas. Ses chaussures brillantes claquaient sur le sol. Mika, Makila et Méphisto dépassèrent les autres pour être juste derrière lui.

— Fort bien, concéda Léopold. Allons voir ce qu'il nous veut.

Dans la cuisine, le gentleman entreprit de placer dans chacune des écuelles destinées aux chats une cuillerée d'une pâte noire à la consistance huileuse, qui sentait vraiment très fort le poisson pourri. Le museau de Mystik se fronça.

— Pouah ! s'exclama-t-il.

— C'est du caviar, lui murmura sa mère. Des œufs d'esturgeon. La nourriture la plus chère et la plus rare du monde.

— On n'en offre qu'aux chats qui présentent

31

le pedigree le plus impeccable, commenta son père en se pourléchant les babines. Il provient probablement d'esturgeons pêchés dans la mer Caspienne, au nord de l'Iran. Notre visiteur sait combien nous sommes importants, combien nous sommes précieux.

L'homme reposa par terre les bols gorgés de petits grains noirs et dorés, puis darda sur eux un sourire encourageant. Ses lèvres s'entrouvrirent de nouveau.

Un à un, les chats s'approchèrent pour humer ce mets délicat. Le gentleman hocha alors la tête et quitta la cuisine, toujours aussi souriant.

— Pourquoi nous as-tu raconté toutes ces histoires, Mystik ? demanda Léopold au chaton. Pourquoi inventer ces chats noirs ?

C'est à ce moment que Noé sortit de sa réserve. À la surprise générale, il annonça :

— Je convoque un conseil de famille. *Tout de suite.* Vous devrez tous y assister, même les chatons.

— Mais... mais... protesta le père de Mystik, les yeux exorbités devant son bol de caviar. On ne réunit de conseil de famille qu'en cas d'urgence. Et ce n'est...

— *Tout de suite*, répéta le vieillard sur le même ton. Dans le salon.

Et, sans plus attendre, il sortit de la cuisine à grandes enjambées. Mystik se tourna vers son père avec inquiétude. Le visage de ce dernier était déformé par la rage.

3
NOÉ DÉTRÔNÉ

— Je déclare le conseil de famille ouvert, annonça solennellement Noé.

Le salon était animé d'un brouhaha à la mesure de l'événement. Les parents de Mystik discouraient à mi-voix avec tante Agathe, tous les trois serrés l'un contre l'autre sur un tapis si élimé qu'on en discernait à peine le motif.

Julius et Jasmine, assis derrière eux, hochaient la tête avec le plus grand sérieux, comme s'ils étaient adultes, eux aussi. Pour leur part, Mika, Makila et Méphisto se disputaient la souris devant les flammes de l'antique cheminée.

Noé dut donner de la voix pour mettre un terme aux jeux et aux conversations. Mystik s'était installé à l'écart des autres, dans son coin. Il était en ébullition. Son premier conseil de famille !

Perché sur le fauteuil en velours rouge de la Comtesse, le chef de famille s'éclaircit la gorge et tint le langage suivant à ses cadets, avec la plus grande solennité :

— Mes chers enfants, si l'on en croit ce qu'on raconte au sujet de notre famille, lorsque notre ancêtre Calife a quitté la Mésopotamie, il a erré d'un pays à l'autre pendant de nombreuses années, avant d'être accueilli par la Comtesse. Depuis, plusieurs générations d'entre nous ont vécu dans cette maison.

Il marqua un temps d'arrêt. Tout l'auditoire était suspendu à ses lèvres. Allait-il leur annoncer quelque catastrophe ? Le cœur de Mystik battait si fort qu'il menaçait d'exploser à l'intérieur de sa poitrine.

De sa voix mal assurée, l'aïeul reprit la parole.

— Mes chers enfants, mes chers petits-enfants

et... hum... je parle aussi au nom de mes futurs arrière-petits-enfants...

Jasmine laissa échapper un gloussement de délice. Julius lui décocha un coup de coude complice...

De son côté, Léopold rongeait son frein. Oui, oui, les enfants, les petits-enfants... Mais quand donc le vieillard cacochyme allait-il enfin en venir au fait ? Pourquoi les avait-il tous réunis dans le salon ? Pourquoi les avait-il arrachés si brutalement à la dégustation de leur caviar ? Cette attente était insupportable !

— ... Hum... euh... comme je le disais... euh... oh... qu'étais-je donc en train de dire ?

Les chatons allaient éclater de rire et le père de Mystik exploser de colère lorsqu'ils aperçurent... une larme qui coulait doucement de l'œil de l'aïeul. Ce dernier vivait mal sa vieillesse, qui lui jouait des tours pendables.

— Vous disiez que plusieurs générations d'entre nous avaient vécu ici même, répondit Léonie d'une voix consolatrice.

Une bûche craqua dans la cheminée. Le grand-père se ressaisit et redressa la tête.

— Oui, ça me revient, maintenant. Hum... Si

je vous ai réunis, c'est pour vous dire que... que nous risquons d'être chassés d'ici.

Les parents de Mystik et la tante Agathe poussèrent un cri de surprise. Ils échangèrent des regards perplexes et secouèrent la tête.

— Mais... pour quelle raison ? demanda tante Agathe.

Les moustaches en berne, Noé essuya une seconde larme.

— Parce que, mes chers petits, je crains que la Comtesse ne soit... morte, annonça alors le vieillard.

Cette nouvelle déclencha une houle d'incrédulité et de tristesse mêlées. Le grand-père attendit que le calme revienne et poursuivit.

— Récemment, elle ne quittait guère sa chambre. Uniquement pour nous donner à manger et entretenir le feu dans la cheminée. Nos petits derniers – Mystik, Mika, Makila et Méphisto – ne la connaissent pratiquement pas. Ils savent à peine à quoi elle ressemblait. Il fallait qu'elle fût bien malade pour se comporter ainsi. Et maintenant que ce... « gentleman » est dans nos murs, j'ai un mauvais pressentiment.

Léopold devait faire un effort considérable

pour continuer d'écouter ces... contes à dormir debout.

— Ce que nous avons vu aujourd'hui a confirmé mes pires craintes, reprit Noé. La Comtesse nous a quittés pour le paradis.

— Elle est sans nul doute partie quelque part, intervint Léopold, en prenant sur lui pour demeurer respectueux, mais pas au paradis. Pas encore... Je suis sûr qu'elle va revenir. D'ici là, c'est son ami qui va s'occuper de nous.

— Ce n'est pas son ami, corrigea le vieillard. Je me souviens de lui. Il est venu ici il y a bien longtemps, avant même que vous ne voyiez le jour, mes chers enfants. Lui et la Comtesse ont eu une dispute terrible. Il voulait nous emmener, mais elle ne l'a pas laissé faire. À la fin, elle l'a jeté dehors, en vociférant. Je ne l'avais jamais vue dans cet état.

Noé observa de nouveau le silence. Il n'y avait pas d'autre lumière dans la pièce que celle produite par les flammes mais, lorsque Léopold se retourna vers Léonie, Mystik distingua nettement un éclair vert dans ses yeux.

— C'est absurde, risqua tante Agathe.

Et de lécher ses coussinets bien rembourrés avec conviction.

— Nous sommes des bleus de Mésopotamie de pure race, les plus nobles des chats. Rien de mal ne peut nous arriver, affirma-t-elle, comme pour s'en convaincre.

— Grand-père, vous ne devriez pas alarmer les petits de la sorte, gronda Léonie. Ils sont trop jeunes et impressionnables pour comprendre ce que vous leur dites. Maintenant, ils vont faire des cauchemars. Non, ce n'est pas raisonnable.

— Parfaitement ! feula Léopold.

Puis il s'arc-bouta et se leva d'un bond.

— Je ne comprends pas où est le problème. Le gentleman nous a offert du caviar. C'est bien meilleur que ce que nous donnait la Comtesse !

Le vieillard secoua la tête.

— Mais pourquoi est-il si gentil avec nous ? Te l'es-tu demandé, mon fils ? Pourquoi ce mets de luxe, pourquoi ce cadeau aux enfants ? Et que penser de ces chats noirs, qui ont fait si peur à Mystik ?

— Nous savons tous que Mystik invente toujours des contes à dormir debout ! Je ne vois pas là de quoi s'inquiéter, pesta Léopold. Je n'y crois pas une seconde, à ces chats noirs. Je ne crois pas que la Comtesse soit morte et je ne crois pas non plus que le gentleman qui nous a offert du caviar soit le même que celui dont tu parles, père. Avec tout le respect qui t'est dû, il te faut admettre que tu perds un peu la tê... hum... la mémoire. C'est normal, tu le sais.

Un murmure d'approbation salua cette diatribe. Tout le monde hochait la tête. Enfin, tout le monde, sauf un.

Mystik.

Il fallait qu'il parle, c'était plus fort que lui. Quitte à défier l'autorité paternelle.

— J'ai vu les autres hommes emporter quelque chose, dit-il. C'était peut-être le cadavre de la Comtesse...

— Mystiiiik ! ! miaula sa mère. Tu devrais avoir honte !

Elle se tourna vers l'aïeul.

— Vous voyez ? Vous voyez ce que vous avez fait ? Je vous l'avais bien dit !

— Mais c'est la vérité ! persista Mystik sans se démonter. Et les chats noirs, je les ai vus, de mes yeux vus !

— Tais-toi, stupide moustique ! ordonna Julius. Nous sommes les seuls chats dans la maison de la Comtesse. Et ceci est une affaire de grands, ça ne concerne pas les demi-portions comme toi.

Tout le monde se mit à miauler en même temps, dans une cacophonie insensée. Les flammes elles-mêmes rugissaient dans l'âtre.

— Écoutez-moi ! plaida Noé. Écoutez-moi !

Mais sa voix ne parvenait pas à couvrir le tohu-bohu et il eut bien du mal à rétablir l'ordre.

— Nous devons concevoir un plan. Si les choses devaient changer dans cette maison, il nous faudrait aller vivre au-dehors.

— Vous n'y pensez pas ! s'insurgea Léonie. Vous savez bien que le monde du dehors est peuplé de monstres ! Ici, au moins, nous sommes à l'abri des chiens. En sécurité.

— Nous ne savons même pas à quoi ressemble un chien, contra l'aïeul. Tout ce que nous connaissons du monde, c'est cette maison.

— C'est le seul monde dont nous ayons besoin, répondit tante Agathe. La Comtesse va bien. Tout va continuer comme avant.

Le grand-père se dressa péniblement sur ses pattes de derrière pour grimper sur le bras du fauteuil.

— Écoutez-moi, malheureux ! implora-t-il. Pourquoi refusez-vous de comprendre ?

C'est alors que son fils aîné s'approcha du fauteuil, d'un air menaçant.

— Non, toi tu vas m'écouter, pour changer. Le moment est peut-être venu pour quelqu'un d'autre de prendre les décisions concernant cette famille.

Cette déclaration fit l'effet d'une bombe. La pièce fut plongée dans le silence. Seules les flammes osaient continuer à émettre de petits bruits. Tétanisé par l'importance de l'enjeu, Mystik ne quittait pas des yeux son grand-père.

Le vieillard sauta de son piédestal et vint faire face à son fils. Celui-ci se mit à tourner autour de lui, dévoilant ses canines pointues. Il avait l'air deux fois plus gros, deux fois plus féroce qu'à l'accoutumée. Dans la lumière des flammes, son ombre dansait sur la frêle silhouette de Noé.

Celui-ci recula d'un pas. Il semblait soudain très âgé et très fatigué. Aussi usé que le tapis sur lequel il se tenait.

— Je voulais simplement dire que nous devrions songer à...

— En voilà assez ! tonna Léopold. Je déclare ce conseil de famille clos.

Puis il se tourna vers le reste de la famille.

— Allons-y !

Il sentit instinctivement qu'il avait l'appui des siens. Mystik avait la gorge toute desséchée. Il était sidéré de la rapidité avec laquelle son monde venait de s'écrouler. Maintenant, son père était chef de famille. Il avait suffi qu'il hausse le ton.

— Nous sommes des bleus de Mésopotamie de pure race, grommela l'aïeul d'une voix brisée. Les héritiers de Calife. Sommes-nous donc tombés si bas ?

— Le conseil, répéta son fils aîné d'un ton qui n'admettait pas la contradiction, est définitivement clos.

4

UN DON MYSTÉRIEUX

Dès que les adultes eurent quitté le salon, Julius se tourna vers Mystik.

— Je sais pourquoi la Comtesse n'est pas là, fit-il en plantant l'une de ses griffes dans la souris. C'est parce qu'elle ne supporte pas la vue des yeux de Mystik.

Jasmine, Mika, Makila et Méphisto avaient pris place à côté de Julius. Personne ne s'était installé auprès de Mystik. Il était seul, coincé entre le mur et le fauteuil déserté de la Comtesse.

— Pauvre petit Mystik, lança Jasmine, sa cousine. Tu parles d'une guigne !

Elle avait le sourire aux babines, comme s'il s'agissait là d'un caprice de la nature qui ne portait pas à conséquence.

— Pourquoi vous en prenez-vous toujours à lui ? poursuivit-elle sur le même ton. Je suis sûre qu'il préférerait avoir des yeux verts comme tout le monde !

— Oui mais *justement*, ils sont différents, et ça change tout, expliqua Mika.

— De la couleur du danger, précisa Makila.

— Il n'est pas comme nous, conclut Méphisto.

Mystik choisit d'ignorer ces perfidies. Il ne regardait même plus ses frères ni sa cousine, préférant se laisser fasciner par les flammes.

Mais il n'était pas chat à s'avouer vaincu.

— Si la Comtesse n'est pas là, c'est parce qu'elle est morte. N'avez-vous pas entendu Noé ? Ce n'est pas si difficile à comprendre... Que diable, Méphisto !

— Très drôle, ricana ce dernier, piqué au vif.

— Tais-toi donc, microbe ! lança Julius, excédé, à l'adresse de Mystik. Comment as-tu osé prendre la parole en plein conseil de famille ? Tu fais honte à la lignée de Calife. Tu déshonores sa mémoire.

Sa queue frappa le tapis à plusieurs reprises, comme pour menacer Mystik. Très lentement, ce dernier releva la tête et son regard vint croiser celui de son frère. À son tour, Mystik frappa le sol de sa queue.

— Tu essaies peut-être de m'impressionner, vermisseau ? railla Julius.

Il se dressa de toute sa hauteur et sortit les griffes. Mystik fit de même.

— Une bagarre ! Une bagarre ! s'écrièrent en chœur Mika, Makila et Méphisto.

Ils vinrent se placer tout autour, cependant que Jasmine observait la scène d'un air faussement distrait, en lissant son pelage aux reflets argentés.

En réalité, Mystik n'en menait pas large sous ses airs conquérants. Mais il n'en montrait rien. Il ne reculerait pas devant son frère aîné. Il ne s'était jamais vraiment bagarré pour de bon et savait pertinemment n'avoir aucune chance face à Julius... Mais il sentait qu'une force mystérieuse le poussait à relever ce défi. Une force enfouie en lui depuis toujours. Ce Julius, pour qui se prenait-il ?

— Julius, voyons mon minou, ce n'est qu'un petit chaton à peine sevré, un petit Mystik-gris... roucoula Jasmine de sa voix douce et soyeuse, comme le lait frais ourlé de miel, au petit matin.

Julius ne l'entendait pas de cette oreille.

— Ce n'est même pas un vrai bleu de Mésopotamie, tu as raison.

Il planta ses deux fentes vertes dans les yeux « de la couleur du danger », défiant Mystik de l'attaquer, avec un mépris teinté d'ironie.

Mystik était bien incapable de lui rendre la pareille. Il ne parvenait même pas à soutenir le regard de son frère aîné, trop sûr de lui, trop large d'épaules. La force mystérieuse qu'il avait sentie monter en lui quelques instants plus tôt l'avait abandonné. Il tourna les talons et s'en fut sans demander son reste.

C'était fini.

Julius l'avait battu d'un seul regard, tout comme son père avait supplanté son grand-père à la tête de la famille. D'une seule phrase.

Dans l'âtre, les dernières flammes continuèrent à danser faiblement pendant quelques secondes, puis s'éteignirent dans un souffle.

— Tu es responsable de tous nos ennuis, fit Julius. Présente des excuses pour ce que tu as fait.

Mystik ravala son orgueil.

— Je... vous... prie de... m'excuser, lâcha-t-il d'une voix rauque.

Les mots lui avaient brûlé la bouche tels des charbons ardents.

— Et ne recommence pas ! Sinon, je te préviens, je te brise les os.

Mystik quitta le salon en claudiquant sous le poids de l'humiliation.

Il avait *déshonoré la mémoire de Calife*. La plus blessante des insultes. Qu'importe ce que pouvait bien penser Julius ! Tout dans les muscles, rien dans la tête ! Mais Mystik s'était toujours senti proche de ses ancêtres, il adorait les contes de Noé. Il ne pouvait pas supporter la pensée de lui faire honte.

Tu ne perds rien pour attendre ! lança-t-il à un Julius imaginaire. *Tu verras. Un jour, je prendrai ma revanche et je te montrerai qui je suis.*

Il n'y avait pas âme qui vive dans le couloir qui menait à la cuisine. Il se moquait bien désormais de se faire surprendre dans le jardin. Il n'avait plus rien à perdre, au point où il en était ! Mystik se dirigea vers la porte située à l'arrière de la maison, fit basculer le battant de la chatière et se glissa au-dehors sans un bruit.

Le jardin était un endroit sombre et sinistre, rempli de vieux arbres aux branches biscornues. Ils s'étaient littéralement repliés sur eux-mêmes jusqu'à s'entrelacer les uns les autres et ils étaient désormais prisonniers de leur propre gangue noueuse. On distinguait à peine le ciel à travers leurs branches.

Derrière les arbres, le mur de pierre encerclait la maison et le jardin de la Comtesse. Il était si haut que personne, dans la famille, ne s'imaginait capable de l'escalader... pas même Mystik, qui parvenait tout juste à se hisser, de temps à autre, à mi-hauteur d'un rideau, avant que sa mère ou son père ne l'en fasse redescendre.

Le chaton inspira l'air glacé du soir, plissa les yeux pour tenter d'apercevoir le mur au travers de la frondaison et crut discerner la pointe d'un croissant de lune, tout là-haut dans le ciel.

— Mystik !

C'était Noé, son grand-père. Il était seul, au fond du jardin, juste à côté des racines d'un arbre mourant, qui tombaient en poussière. Mystik se fraya un chemin jusqu'à lui.

— Je te demande pardon, grand-père. Tout ce qui s'est passé est ma faute... mais je n'ai pas menti au sujet des chats noirs, je jure sur la tête de Calife que c'est vrai.

Noé lui adressa un sourire où se mêlaient amusement et tristesse.

— Je suis sûr qu'il ne tremble pas pour sa tête, là où il est... Je sais bien que tu as dit vrai. Et ce n'est pas ta faute. Tu n'y es pour rien, rien du tout. Ce sont eux. Ils ne veulent même plus se donner la peine de réfléchir.

Ils s'assirent l'un à côté de l'autre, dans l'ombre du mur d'enceinte, et restèrent silencieux.

— Tu vas quand même me raconter la plus grande bataille de Calife ? demanda Mystik au bout d'un moment.

— Celle qui l'a opposé à Saliya du Nord ? Non, pas ce soir, répondit Noé. J'ai des choses beaucoup plus importantes à te dire. Tu es encore jeune mais... je ne pense pas que nous ayons beaucoup de temps devant nous, et tu es le seul qui soit capable de comprendre.

Mystik sentit de petites pointes se hérisser sous son pelage. Après ce qu'il s'était passé au conseil de famille, les paroles de son grand-père lui donnaient la chair de poule. Il se sentit envahi d'une immense fierté, investi d'une responsabilité à nulle autre pareille.

— Je suis prêt, grand-père, répondit-il.

— Alors, écoute-moi attentivement. Dieu sait ce que ce prétendu « gentleman » a en tête ! Mais maintenant que la Comtesse a disparu, nous ne pourrons pas y faire face tout seuls. Il va nous falloir obtenir de l'aide de l'extérieur.

Mystik frissonna.

— Mais le monde extérieur n'est-il pas rempli de monstres ? demanda-t-il.

— Précisément. Un monstre, c'est exactement ce dont nous avons besoin. Un monstre appelé chien. On raconte qu'ils sont énormes et suffisamment forts pour tuer un homme. Ils emplissent de crainte le cœur de leurs ennemis, leur haleine est épouvantable et ils hurlent plus forts que les chacals...

À l'énoncé de telles horreurs, Mystik enfonça la tête dans ses épaules.

— Mais on raconte aussi que Calife pouvait leur parler, poursuivit Noé. Il doit donc exister un moyen d'obtenir d'eux qu'ils fassent peur à cet homme.

— Papa et maman disent que tous ces récits

merveilleux sur Calife sont des contes à dormir debout...

— Des contes à dormir debout ?

Noé posa un regard interrogateur sur son petit-fils.

— Et tu les crois ?

La tête toujours enfoncée dans les épaules, Mystik la fit aller de droite et de gauche, ce qui lui valut de se froisser un muscle du cou. Il grimaça.

— J'aime mieux ça, répondit Noé. Parce que je m'apprête à te révéler un secret de famille. Qui remonte à nos premiers ancêtres.

La tête du chaton reprit aussitôt sa position normale. Il était au comble de l'excitation. Un secret ? Jamais personne ne lui avait révélé de secret !

— C'est au sujet de Calife ? risqua-t-il.

La bouche de Noé dessina un sourire dans la pénombre.

— En effet, mon petit. Tout le monde a entendu ces récits merveilleux qu'on raconte à son propos, mais rares sont ceux qui connaissent ce Don qu'il possédait. Un Don mystérieux. Exceptionnel.

Le Don de Calife.

Julius et les autres en ignoraient jusqu'à l'existence. Et Noé allait lui en faire la révélation. À lui et à personne d'autre. Quel honneur pour Mystik ! Et surtout, quelle revanche sur son frère aîné !

— Ce Don s'est transmis de génération en génération. Oh, bien sûr, il s'est affaibli au fil des siècles, il a été corrompu aussi. Il n'en reste plus que des fragments. Quand bien même, il nous aidera peut-être à parler aux chiens.

Le grand-père eut un temps d'hésitation.

— Mais peut-être pas... Vois-tu, je ne sais pas en utiliser toutes les facettes, et je crains de ne plus avoir très longtemps pour te l'enseigner, mais c'est notre seule chance.

Mystik éprouva un sentiment étrange de déception. Maintenant qu'il connaissait l'existence d'un secret de famille, il voulait tout savoir. Quelle partie du secret Noé et les générations précédentes avaient-ils égarée en route ? Bah, des fragments de secret valaient mieux que rien du tout !

— Alors, raconte, grand-père.

— Approche, mon petit.

Mystik se pencha vers lui.

— Plus près.

Mystik approcha son oreille tout près de la bouche de Noé, au risque de se piquer contre sa barbichette blanche.

— Le Don de Calife se compose en réalité de Sept Pouvoirs, chuchota Noé.

Son souffle réchauffait Mystik au creux de la nuit glacée.

— Nous n'en connaissons plus que trois : le Temps ralenti ; le Cercle en mouvement ; la Marche dans l'ombre.

Il avait récité les noms de ces trois pouvoirs comme s'il se fût agi d'un poème.

— Retiens-les bien, mon petit. Vas-y, répète.

— Le Temps ralenti, le Cercle en mouvement, la Marche dans l'ombre.

Il faisait rouler les mots dans sa bouche, comme s'il découvrait une nouvelle saveur.

— Encore.

— Le Temps ralenti, le Cercle en mouvement, la Marche dans l'ombre.

Ces sons étranges formaient une étrange mélodie dans sa tête.

— Ne les oublie jamais. Tu es désormais le gardien du Don de Calife, Mystik.

Le chaton hocha la tête. Les paroles de Noé – celles-là mêmes que Calife avait un jour prononcées lui-même – resteraient dans sa tête pour toujours. Comme dans un sanctuaire.

C'est alors qu'ils entendirent un *clic*.

La porte de derrière venait de s'ouvrir. Mystik et Noé tournèrent la tête. Ils découvrirent le gentleman. Ses lèvres luisaient dans la pénombre. De chaque côté de ses chaussures noires brillantes se tenaient deux chats noirs.

5

AU PIED DU MUR

La température de l'air avait chuté d'un coup. Mystik fut parcouru d'un frisson.

— Ça ne me plaît pas, murmura Noé. Ça ne me plaît pas du tout.

Le mystérieux gentleman pointa un doigt en direction des bleus de Mésopotamie. Il s'accroupit pour toucher les colliers des chats noirs et leur chuchota quelques mots à l'oreille. Puis il tourna les talons et rentra à l'intérieur. Mystik et Noé se retrouvèrent seuls face aux deux intrus.

Ces derniers se mirent aussitôt en route d'un pas lent mais déterminé, en direction de Mystik et de son grand-père. Au contact de l'herbe, leurs foulées étaient parfaitement silencieuses. Leur démarche était en elle-même étrange, et menaçante...

— Qui êtes-vous ? demanda Noé, décidant qu'il valait mieux entamer lui-même le dialogue.

Ils ne répondirent rien, continuèrent d'avancer. Mystik et Noé firent un pas en arrière, mais ils ne pouvaient pas reculer bien loin. À quelques mètres à peine derrière eux se trouvait le mur d'enceinte.

Le pouls de Mystik s'affola. Le chaton se rappelait avec quelle vigueur les chats du gentleman l'avaient écarté de leur passage. Cette fois encore, rien ni personne ne pourrait les arrêter. D'une patte, il effleura son collier : était-il plus serré que d'habitude ?

— Mystik ! murmura son grand-père d'une voix pressante qui ne trahissait cependant nulle inquiétude. Je pense qu'un chaton aussi courageux et vigoureux que toi pourrait escalader le mur et passer à l'extérieur, n'est-ce pas ?

Mystik se retourna et évalua la hauteur du mur d'enceinte. Les pierres avaient beau être masquées par de la mousse, impossible de se cacher la réalité : ce mur était gigantesque.

— Ne t'en fais pas, mon garçon, tu disposeras du temps nécessaire pour y parvenir. Je m'en charge.

— J'aurai le temps ? répéta Mystik, effaré.

Mais que racontait le vieux Noé ?

Ils n'allaient pas le franchir tous les deux, ce mur ? Il ne songeait tout de même pas à abandonner Mystik « de l'autre côté » de la maison dont il n'était jamais sorti ?

— Tu veux dire que tu ne...

— Non, nous ne pouvons pas y aller à deux. Je dois rester ici pour faire diversion. Toi, ta mission consiste à aller chercher un chien qui accepte de nous aider.

Mystik n'en croyait pas ses oreilles.

— Tu ne vas pas te battre contre eux, hein, grand-père ? Dis, tu ne vas pas faire ça ? Parce qu'ils... ils...

Noé fit un pas en direction des deux chats noirs. Dans ses yeux brillait une flamme que Mystik n'y avait jamais vue.

— Allez, va, mon grand ! Ramène cet animal

monstrueux dont même les hommes ont peur. Et garde le Don en vie, Mystik. Tu es notre seul recours.

Les chats s'étaient arrêtés net. Ils contemplaient le vieux Noé sans impatience, avec la certitude d'être les plus forts. L'aïeul poussa un rugissement rauque.

La tête de Mystik lui tournait. Un tourbillon d'émotions s'agitait en lui... Un sentiment troublant d'excitation, aussi.

Le vieux Noé s'avança vers les chats du « gentleman », la queue relevée, jetant des éclairs de ses yeux verts.

— Va-t'en, Mystik, avant qu'il ne soit trop tard. Ne regarde pas en arrière. C'est le seul moyen.

Il releva la tête avec un aplomb magnifique, farouchement déterminé à sauver sa race. Conscient de l'immensité de son sacrifice.

Le vieux chat épuisé du conseil de famille avait cédé la place à l'héritier de Calife, affrontant son ennemi sans faillir, avec bravoure et orgueil. Un vrai bleu de Mésopotamie.

— FILE ! hurla-t-il à l'adresse de Mystik.

Puis Noé se rua sur les deux chats noirs. Ces derniers hochèrent la tête d'un air entendu, comme si cet adversaire ne pesait guère plus qu'une mouche. Noé se jeta droit sur eux… mais, soudainement enveloppé d'un scintillement argenté, il se glissa entre les deux, à travers le plus minuscule des espaces… et ressortit de l'autre côté.

Les deux chats pivotèrent sur eux-mêmes. Le vieux Noé était hors de leur atteinte. Ils échangèrent un regard médusé et s'élancèrent dans sa direction.

Mystik n'en croyait pas ses yeux. Sa gorge se serra. Son grand-père entraînait les deux « clones » à sa suite, à travers les arbres, vers la maison. Il les éloignait de plus en plus du chaton, grâce à son astuce et à sa rapidité. On aurait dit un éclair de vif-argent bleuté.

Les chats noirs étaient plus rapides. Ils avançaient d'une même foulée, parfaitement synchronisés, effilés et meurtriers… Comment Noé pourrait-il les vaincre l'un et l'autre ? Déjà, il ralentissait l'allure, essoufflé.

Les chats noirs décidèrent de le prendre en tenailles, un de chaque côté.

Ils ne tarderaient pas à l'attraper. Et même s'il leur échappait, que pourrait-il faire contre un homme dix fois plus grand que lui ? Aucun chat n'était de taille à faire face, pas même une famille entière de chats.

Noé avait raison. Leur seule chance de salut, c'était que Mystik trouve un chien. Son grand-père faisait son devoir. À lui, Mystik, de faire le sien.

Le cerveau en ébullition, le chaton se força à détourner les yeux du jardin et à les fixer sur le mur. Aucun chat de la famille ne l'avait franchi depuis que Calife lui-même était arrivé de Méso-potamie. Mais c'était la seule issue.

Il inspira fortement, rassembla toute son éner-gie. Un dernier regard par-dessus son épaule.

Oh, non, pas ça !

Les chats noirs avaient coincé le vieux Noé. Ils l'avaient acculé contre la maison. Le vieux matou bondit en avant, tentant une nouvelle percée, mais les deux autres fondirent sur lui et le pla-quèrent au sol.

Un terrible miaulement de douleur retentit. Les chats noirs se dégagèrent, en secouant la tête.

Quant au vieux Noé... Il ressemblait à un pan-tin désarticulé.

Et soudain, un nouveau rugissement déchira les oreilles de Mystik. Son estomac se noua. Son être tout entier lui hurlait de rester, de lutter, de venir en aide au seul chat qui l'ait jamais compris. Mais les paroles de Noé résonnaient encore à ses oreilles : *Va-t'en, Mystik, avant qu'il ne soit trop tard.*

Il fit de nouveau face au mur.

Trois.

Deux.

Un.

Mystik jaillit du sol en pleine extension. Il s'agrippa aux pierres moussues, s'aida de ses pattes de derrière pour se propulser vers le haut, il poussa encore et encore, à travers des branchages qui lui griffaient le cuir. Il grimpa plus haut que les rideaux du salon, plus haut que la maison, toujours plus haut.

Son regard se troubla, ses muscles étaient en surrégime. Combien de temps lui faudrait-il encore poursuivre cet effort impitoyable ?

Il ne pouvait pas échouer. Il fallait continuer. S'agripper, encore et encore.

Enfin, il parvint à se hisser jusqu'au sommet du mur, pantelant.

Il était dehors !

Il avait réussi !

Pour la première fois depuis Calife, un bleu de Mésopotamie allait quitter la maison de la Comtesse et découvrir le monde extérieur.

6
À L'ASSAUT DES LUMIÈRES DE LA VILLE

Le paysage s'étendait à perte de vue. Plus aucun mur, plus aucun arbre ne s'interposaient devant les yeux de Mystik. Rien que de l'espace, des kilomètres carrés à explorer devant lui, au-dessous de lui, au-dessus. Il était en suspension dans l'espace et... le sol était bien bas. Comment redescendre sur terre ?

Il se retourna et tenta de percer l'opacité des arbres. Mais rien à faire. Les chats du mystérieux gentleman et Noé, son grand-père, étaient masqués par l'enchevêtrement de branches. Impossible de revenir en arrière. Il était bel et bien livré à lui-même.

Seul au monde.

Avait-il pris la bonne décision ? N'aurait-il pas dû aider son grand-père ? Il ne pouvait effacer de sa mémoire l'image du vieux Noé, semblable à une poupée de chiffon.

Il sentit monter en lui des bouffées de doute, et aussi une angoisse insidieuse. Mystik entreprit de les refouler avant qu'elles ne s'emparent de lui. Noé savait ce qu'il faisait. Il avait tout prévu. Il avait été prêt à sacrifier sa vie pour que Mystik ait une chance de sauver la famille.

Ne restait plus au chaton qu'à se mettre en route. Mais dans quelle direction ?

Devant lui s'étendait un océan de lumières, qui s'enfonçait très loin dans les ténèbres. Qu'y avait-il derrière, à l'autre bout du monde ? Et pourquoi tant de lumières ? D'où venaient-elles ?

Le chaton leva les yeux vers le ciel et aperçut un autre océan de lumières : la lune et les étoiles, froides et lointaines. Il se sentit pris de vertige et, bientôt, le mur lui donna l'impression de se dérober sous lui.

Il ferma les yeux et compta jusqu'à dix.

Rien à faire. Le monde extérieur était trop vaste, et lui trop petit pour s'y fondre. Un bleu de Mésopotamie n'avait pas sa place au sommet d'un mur. Certes, sa famille le lui avait dit et répété, Mystik n'était pas un « vrai » bleu.

Alors, qui était-il ?

Sous la voûte céleste géante, il n'était personne. Un petit rien perdu dans l'immensité.

Mystik se sentit défaillir. S'il restait une seconde de plus sur ce mur, il allait dégringoler. Plus dure serait la chute... Et puis les chats noirs étaient sans doute déjà partis à sa recherche...

Mais comment regagner la terre ferme ? Il ne pouvait redescendre comme il était monté, en s'agrippant aux pierres. Trop risqué. Il serait déséquilibré à un moment ou à un autre, il glisserait et s'écraserait au sol.

Il y avait un arbre non loin du mur. Juste un. S'il parvenait à l'atteindre, il s'en servirait comme d'une échelle.

Le chaton étendit prudemment une patte et posa un coussinet sur l'extrémité d'une branche. Mais il dérapa sur la mousse qui tapissait le sommet du mur. À travers la mousse, il planta alors ses griffes dans la pierre et manqua être emporté par une bourrasque de vent glaciale.

De nouveau, il se sentit pris de vertige. L'air des hauteurs ne lui était guère profitable. Le vent lui chantait une étrange mélopée. *Ouuuhhh vas-tuuu ? Tuuuu es trop hauuut !* Mystik tenta de se boucher les oreilles, mais le cri du vent s'insinuait en lui par tous les pores de ses coussinets. *Ouuhh vas-tuuu ? Tuuu vas te tuuuer... !*

Le chaton fit assaut de volonté et avança l'autre patte en direction de l'arbre. Autant essayer de marcher sur de la glace. Glissant ! Froid ! Impossible ! Mystik s'imagina en train de patiner, de partir à la renverse et de... se briser le cou cinq mètres plus bas !

Il fallait trouver une autre solution.

Pouvait-il, par exemple, utiliser le Don que lui avait révélé Noé ? Quels étaient les trois Pouvoirs, déjà ? Le Temps ralenti, le Cercle en mouvement, la Marche dans l'ombre.

Mystik avança encore d'un pas vers l'arbre. *Oùùùùh vas-tuuu ?* siffla le vent.

— Temps ralenti ! hurla le chaton en retour.

Autant en emporte le vent...

— Cercle en mouvement !

Il n'allait pas laisser le mur avoir raison de lui...

— Marche dans l'ombre !

Parce qu'il s'appelait Mystik et qu'il avait eu la révélation du Don, il vaincrait l'adversité.

Le chaton entreprit alors de marcher au sommet du mur comme il l'avait toujours fait dans l'enceinte de la maison de la Comtesse. Tous ces petits murets autour de la remise, autour du local à poubelles... il les avait parcourus à maintes reprises. Il se sentit soudain léger et agile. Le Don fonctionnait à merveille ! Que Noé ne s'en était-il ouvert à lui plus tôt ? Mystik aurait réglé son compte à Julius et aux trois M.

Il n'avait plus le vertige.

Mystik aurait bien voulu voir Julius dans cette position !

Il ne lui restait plus qu'à sauter sur l'arbre et il pourrait redescendre facilement. Le plus dur était fait. Mystik fit un large sourire et s'élança vers la branche la plus proche.

CRRRAAAC !!!

La branche la plus proche, malheureusement, ne supporta pas son poids. Il aurait dû s'assurer de sa solidité avant de bondir dessus.

Plus dure serait la chute...

Le vent lui assena une gifle glacée au moment

où il était précipité dans le vide. Mystik ferma les yeux... et tout devint noir.

*

* *

Mystik rêvait.

Il rêvait qu'il marchait le long d'une rivière dans la chaleur de la nuit. Des arbres biscornus ondoyaient sous la brise tiède. L'air sentait la cannelle, il avait un goût de datte bien mûre. Les étoiles étaient différentes. Elles scintillaient de tous leurs feux dans un ciel clair et brillant.

Un vieux chat au pelage bleu argenté marchait aux côtés du chaton. Il ressemblait à un bleu de Mésopotamie mais ne portait pas de collier. Ses yeux ambrés évoquaient la couleur du ciel au lever du soleil.

— Bienvenue sur la terre de nos ancêtres, dit le vieux chat. Bienvenue en Mésopotamie.

— En Mésopotamie ? La terre natale de Calife ?

Le vieux chat hocha la tête.

— Calife ? Oui, c'est cela. Il a habité cette contrée il y a bien longtemps.

Le pouls de Mystik s'accéléra.

70

— Vous l'avez connu ? demanda-t-il.

— Pourquoi t'intéresse-t-il de le savoir, mon garçon ?

— Parce que je pourrais vous poser des tas de questions, pardi ! Toutes ces histoires qu'on raconte à son sujet, sont-elles vraies ? Pouvait-il vraiment parler aux chiens ? Et... et que penserait-il de moi ?

Le vieux chat gloussa dans sa barbe blanche.

— En voilà une question ! Quelle importance pour toi ?

Mystik détourna le regard.

— Parce que ma famille n'arrête pas de dire que je fais honte à la mémoire de Calife, que je l'ai déshonoré. Ils disent tous que je ne suis pas un vrai bleu de Mésopotamie.

— Ah bon ? Et toi, qu'en penses-tu ? Es-tu digne de tes ancêtres, ou non ?

— Non, répondit Mystik, la tête basse. Je ne le suis pas.

— Et si tu connaissais le Don secret de Calife, serais-tu alors un bleu de Mésopotamie de pure race ?

Mystik sourit tristement. Il se rappelait les paroles de Noé.

— Je le connais, et pourtant je ne sens aucune différence.

— Tu connais le Don ? Je suis très impressionné, commenta le matou, matois. Accepterais-tu de me faire une petite démonstration ?

Décontenancé, Mystik hésita, puis hocha la tête.

— Si vous voulez, oui.

— Alors, frappe-moi ! Allez !

Le vieux chat s'immobilisa devant Mystik et lui bloqua le chemin. Il n'était pas si gros que ça, mais il émanait de lui une étrange menace. Mystik recula d'un pas.

— Frappe-moi ! commanda de nouveau son interlocuteur.

Ses yeux ambrés lancèrent un éclair.

— Frappe-moi tout de suite ou meurs sur place.

Il ne lui laissait pas le choix. Si c'était ce qu'il voulait... après tout, pourquoi pas ?

Mystik voulut décocher un coup de patte à ce vieux fou, sans forcer. Mais il ne parvint pas à exécuter le mouvement souhaité et sa patte retomba mollement après avoir décrit un arc de cercle dans le vide. Mystik fronça les sourcils. Comment avait-il pu manquer sa cible ?

Le vieux chat se lissa les moustaches.

— Serais-je trop vif pour toi ? interrogea-t-il. Est-ce de cette manière que tu utilises le Don de Calife ? Je crois que tu ne sais rien, petit chaton. Frappe-moi de nouveau !

La situation devenait irritante. Oui, Mystik voulait lui taper dessus, de toutes ses forces, ne serait-ce que pour lui couper le sifflet. Il décida de se concentrer sur l'impact. Cette fois, il n'échouerait pas.

Sa patte jaillit devant lui... manqua complètement sa cible, et il fut déséquilibré. Il roula sur lui-même au bas du talus qui bordait la rivière et se retrouva les quatre fers en l'air. Dans le ciel, les étoiles argentées riaient en silence. Il se releva, furieux.

— Essaie encore ! se gaussa le vieux chat.

N'y tenant plus, Mystik lâcha un autre coup, avec une violence dont il ne se savait pas capable. Mais, une fois de plus, sa patte s'agita stupidement dans le vide, et il partit de nouveau en arrière. Il se mit à donner des coups de patte dans tous les sens, mais il ne faisait que se battre contre lui-même et le savait.

Il était vaincu.

Son adversaire chenu le scruta avec intérêt.

— J'ai trouvé ta première attaque plutôt molle, commenta-t-il d'un ton badin. La troisième était sans panache et maladroite, tu t'en es rendu compte. La deuxième a montré que tu possèdes un certain... potentiel, oui. Mais elle était lente, terriblement lente... Cela dit, je te reconnais du courage. Si tu veux apprendre le Don, je veux parler du véritable Don, tel qu'il se pratique par ceux qui le maîtrisent, tu n'as qu'à me le demander. Je te l'enseignerai.

Mystik resta sans voix. Les mots lui collaient à la gorge. Il ressentait de la gêne, voire de la honte. De toute évidence, ce félin filou en savait bien davantage que lui à propos du fameux Don, mais le chaton ne pouvait se résoudre à l'admettre. Question d'orgueil.

Le vieux chat haussa les épaules.

— Eh bien, adieu !

Et il tira sa révérence avant de tourner les talons.

À ce moment, Mystik sentit quelque chose en lui se débloquer. Comme une porte verrouillée qui s'ouvre enfin sur l'extérieur.

— Attendez ! appela-t-il.

Le grand ancien pivota sur ses coussinets. Son corps luisait dans la touffeur du soir.

— Ne partez pas... ! s'exclama Mystik. Enseignez-moi le Don.

— À la bonne heure ! s'exclama l'autre en souriant de toutes les dents qu'il lui restait. Alors, nous allons commencer immédiatement.

Il s'éclaircit la gorge.

— Le Don de Calife comprend Sept Pouvoirs. Le Premier s'appelle l'Ouverture d'esprit et tu viens d'en découvrir le secret. Car c'est seulement lorsqu'on admet ne rien savoir que l'on peut vraiment savoir.

Mystik écarquilla les yeux.

— Qui êtes-vous ?

— Tu ne sais toujours pas qui je suis, mon fils ?

Le chaton en avait bien une petite idée, mais...

— Calife ?

— Oui, c'est moi, en personne.

Il adressa un clin d'œil à son nouvel élève.

— Et surtout, ne crois rien de ce qu'on raconte à mon sujet.

7

DES CHIENS TONITRUANTS

Mystik se réveilla au pied du mur d'enceinte de la maison de la Comtesse. Il avait des bourdon-nements dans la tête et ses pattes étaient tout endolories. Il ne faisait pas encore jour mais la nuit tirait à sa fin. Il avait dû perdre connaissance en tombant de l'arbre. Mais quel rêve il avait fait ! Il se demanda s'il en referait jamais un autre si fascinant.

L'air était froid et l'herbe humide. Mystik se

leva péniblement, secoua son pelage pour en ôter les gouttes et regarda autour de lui.

Au spectacle de ce qui s'offrait à ses yeux, il recouvra instantanément ses esprits. L'extérieur ne ressemblait à rien de ce qu'il avait imaginé ou rêvé.

La maison de la Comtesse se trouvait au sommet d'une haute colline. Au-dessous s'étendait un vaste parc et, au loin, une grande ville. Un enchevêtrement de formes étranges, de toutes les tailles : de hautes tours d'acier et de verre qui scintillaient dans les premières lueurs de l'aube, mais aussi de petites maisons en briques noircies par la fumée des cheminées. De grands jardins s'épanouissaient entre des allées étroites. Plusieurs dômes trônaient fièrement au-dessus de la mêlée, surmontés de flèches pointues, et de gros blocs de béton se dressaient vers le ciel, piquetés de panneaux d'affichage aux couleurs vives.

Il se dégageait de cet assemblage d'architectures hétéroclites un lointain ronronnement, en partie couvert par le chuintement du vent à la cime des arbres.

« Cette ville ne dort-elle donc jamais ? » se demanda Mystik, le souffle coupé.

Vue de loin, elle semblait le lieu de tous les

possibles. Un endroit où l'on pouvait faire tout ce qu'on voulait sans personne pour vous en empêcher. Dans cette jungle luxuriante, il parviendrait même, peut-être, à trouver un chien.

Sans plus attendre, Mystik se mit en route. Il dévala la colline, plus abrupte qu'il ne l'avait estimé au premier abord. Mais quel bonheur de pouvoir se laisser aller sans craindre d'être rappelé à l'ordre ! Et surtout, quelle joie de partir à la découverte d'un monde entièrement nouveau et sans limites apparentes !

Un rougeoiement déferla sur la ligne d'horizon. Mystik n'avait jamais vu le soleil se lever, et il fut surpris de constater que le ciel arborait soudain des nuances ambrées.

Parvenu au bas de la colline, le chaton constata que ses pattes étaient toutes boueuses. Là-haut, dans la maison de la Comtesse, la famille au complet venait sans doute de se réveiller et allait entamer sa toilette matinale... Mystik avait une sainte horreur de se laver. Pouah !

Son cœur se serra. Combien de temps leur faudrait-il pour s'apercevoir de la disparition de leur souffre-douleur ?

Après leur toilette, ils iraient tous docilement prendre leur petit déjeuner, non plus dans des écuelles, mais dans des bols en porcelaine remplis de cet infâme caviar apporté par le gentleman. Maintenant qu'il était « à l'extérieur », Mystik n'aurait plus jamais besoin de manger ce qu'il n'aimait pas. Il pourrait choisir son menu et l'heure de ses repas.

La liberté !

Après le déjeuner, la famille prendrait la direction de la litière, en rangs serrés. Ha ! Ha ! Mystik, lui, s'installa sous un arbre... Plus de litière pour lui. C'était beaucoup plus agréable, plus naturel aussi.

Son avenir promettait d'être le meilleur moment de sa vie !

Il reviendrait de la grande ville avec un chien (même s'il n'avait encore aucune idée de ce à quoi un chien ressemblait) et il vaincrait le gentleman et ses affreux chats noirs. Puis il conduirait sa famille hors de cette vieille maison poussiéreuse et lui ferait découvrir ce nouveau monde merveilleux.

Tous diraient alors que Mystik était un vrai bleu de Mésopotamie, un vrai fils de Calife. Ils le couvriraient d'honneurs et de récompenses, qu'il refuserait en bloc : « *Je l'ai fait pour la gloire de la famille* », répondrait-il humblement. Et ils l'applaudiraient à tout rompre.

Mystik poursuivit sa route, tout à sa douce rêverie. Les premières rougeurs de l'aube s'étaient consumées et le ciel ressemblait désormais à une couverture de cendres.

Un son violent l'arracha à ses pensées. On aurait dit un rugissement auquel se mêlaient des cris stridents. Le chaton fut saisi d'effroi. Ce tintamarre provenait d'une route toute noire qui encerclait le parc où il se trouvait.

Les oreilles rabattues sur le crâne de crainte d'être assourdi, Mystik avança à pas comptés vers la source du vacarme.

C'est alors qu'il aperçut une colonne de monstres épouvantables. Ils glissaient sur la bande noire à toute allure, en grondant tous plus fort les uns que les autres. Ces monstres gigantesques, métalliques et anguleux, avec des yeux jaunes à l'avant et d'autres, rouges, à l'arrière, se déplaçaient grâce à des roues noires qui tournaient si vite que Mystik en attrapa le vertige.

Ils crachaient de la fumée noirâtre qui s'envolait en volutes crasseuses.

C'était ça, des chiens ?

Les paroles de Noé résonnèrent encore une

fois à ses oreilles : « On raconte qu'ils sont énormes et suffisamment forts pour tuer un homme. Ils emplissent de crainte le cœur de leurs ennemis, leur haleine est épouvantable et ils hurlent plus fort que les chacals... Si féroces qu'ils sont capables de tuer un homme. »

Pas de doute, c'étaient bien des chiens. Il les avait trouvés !

Une boule de terreur se forma au creux de l'estomac de Mystik. Comment engageait-on le dialogue avec de tels bestiaux ? Ils ne donnaient pas l'impression d'être disposés à marquer le pas pour qui que ce soit, et certainement pas pour un chat.

Mystik se gratta l'arrière de l'oreille gauche avec énergie, en équilibre sur une fesse. À mesure qu'il se rapprochait de la procession furieuse, sa vision exaltante et radieuse de l'avenir s'évanouissait, telle la promesse déçue d'un lever de soleil.

Le Temps ralenti, le Cercle en mouvement, la Marche dans l'ombre.

Il secoua la tête. Comment des paroles étaient-elles censées lui venir en aide ? Pourquoi Noé lui avait-il confié cette mission impossible ? Pourquoi n'avait-il pas choisi quelqu'un de plus âgé, de plus fort, quelqu'un comme Julius ? Julius aurait peut-être su comment se comporter face à un chien. Mystik n'en avait aucune idée.

C'était trop difficile. Impossible. La boule de terreur pesait une tonne au creux de son estomac.

Une énorme goutte d'eau s'écrasa sur sa tête. Mystik grimaça. Il avait horreur d'avoir le pelage mouillé. À la maison, dès qu'il pleuvait, il se précipitait à travers la chatière. Si seulement il avait pu trouver un abri... ! Il se retourna et parcourut des yeux la colline. Il n'apercevait plus la maison de la Comtesse.

Une bourrasque lui cingla le visage. Le ciel s'assombrissait. L'orage menaçait.

Un abri.

Il lui en fallait un, et vite. Sinon, il finirait comme ces touffes d'herbe aplaties par le vent, toutes tremblantes avant la tempête.

Mais la pluie n'attendit pas. Elle se mit à tomber, drue, s'insinuant dans son pelage, alourdissant sa démarche. Il s'ébroua mais c'était peine perdue. La pluie redoubla bientôt. Sa famille avait bien raison. Les chats n'avaient pas leur place au-dehors. Le monde extérieur n'était pas fait pour eux.

Au loin, juste derrière une rangée d'arbres qui

ployaient sous les rafales, il distingua quelque chose qui lui avait échappé jusqu'alors. Une petite cabane de bois. Un abri !

À travers les trombes, il se fraya un chemin jusqu'à elle. *Où vas-tuuuuuuuu ? Tu vas te tuuuer... !!* hurlait le vent. Mystik fut projeté dans une flaque boueuse et se retrouva tout imprégné de son contenu. Sa bouche dégoulinait de cette vase répugnante.

Soudain, un éclair de lumière blanche déchira le ciel. Il y eut un moment de silence angoissant et la terre fut secouée de tremblements.

— À l'aide, Calife ! miaula Mystik.

Mais seul le ciel lui répondit, avec un autre coup de tonnerre.

Enfin, péniblement, le chaton atteignit la cabane. Elle sentait le bois gorgé d'eau et n'avait pas de fenêtre, juste une porte. Il l'entrebâilla prudemment et tenta de jeter un coup d'œil à l'intérieur mais n'y parvint pas. Il recula, prit son élan et se jeta sur elle.

La porte s'ouvrit toute grande.

8
VISITE INATTENDUE

À l'intérieur, il faisait noir comme dans un four. Mais Mystik y serait au sec. Le chaton commença à se détendre. C'est alors qu'un nouveau grondement fit vibrer l'atmosphère.

La porte se referma bruyamment derrière lui.

— Ne bouge pas d'un poil ! fit une voix rocailleuse. Tu es cerné.

Immédiatement, Mystik sortit les griffes, prêt à en découdre.

— Range ton arsenal, ordonna la même voix.

Mystik tenta de percer la pénombre pour découvrir son interlocuteur. C'était un autre chat ! Ou plutôt une chatte, avec un pelage noir et blanc et des yeux moutarde.

Elle devait avoir à peu près le même âge que lui. Bien que plus jeune que Jasmine ou Julius, elle semblait plus endurcie, comme si elle avait déjà trop vu du monde extérieur.

— Je ne cherche pas la bagarre, dit-elle, mais si tu ne rentres pas les griffes, je te transformerai en chair à pâté.

Au ton de sa voix, Mystik savait qu'elle disait vrai.

— Moi non plus, répondit-il. Je ne cherche pas la bagarre.

Et de « ranger son arsenal ».

La pluie tambourinait sur le toit. On se serait cru un jour de fête chez la Comtesse : une fois par an, celle-ci avait pour habitude de convier un petit orchestre pour son anniversaire. Mystik adorait le son des percussions et des cuivres étincelants... Seulement voilà, la Comtesse fêterait-elle encore un autre de ses anniversaires ? Ou Noé avait-il raison d'affirmer qu'elle était morte ?

— Parfait, dit la maîtresse des lieux. Je suis

chez moi, ici. C'est *ma* cabane. Tout le monde le sait. Alors, que fais-tu ici ?

Mystik s'ébroua.

— Au cas où tu n'aurais pas remarqué, il pleut...

— Pas la peine de m'éclabousser ! protesta-t-elle.

— Pardon... C'est le seul abri que j'aie trouvé.

— Tu ne vois pas qu'il est occupé, cet abri ? gronda-t-elle.

Mystik fronça les sourcils.

— N'est-il pas assez grand pour nous deux ?

— Il n'y a de place que pour moi.

C'était traiter la vérité avec parcimonie... Pour ne pas dire qu'il s'agissait d'un mensonge éhonté ! Mais Mystik se dit qu'elle n'apprécierait pas de se l'entendre dire. Il contempla en silence le sol détrempé. Une mare l'entourait déjà. Il ne pouvait se résoudre à ressortir.

De plus, c'était la première représentante de son espèce qu'il rencontrait depuis son départ. Elle ne ressemblait en rien à un bleu de Mésopotamie, mais pas non plus aux chats du gentleman. Elle n'avait rien d'étrange ni d'effrayant... même s'il ne devait pas faire bon être son ennemi.

Mystik risqua un sourire dans la pénombre. Elle lui répondit par un regard noir.

— Comment t'appelles-tu ? demanda-t-elle d'un ton bourru. Je ne t'ai jamais vu rôder par ici.

— Mystik.

— Mystik ? En voilà un drôle de nom !

C'était la première fois que Mystik entendait dire que son nom était drôle. Même Julius ne s'en était jamais moqué...

— Et toi, comment t'appelles-tu ?

— Ça ne te regarde pas, répondit la chatte. Tu fais partie de quelle bande ? Qui est ton chef de gang ? Tu as réchappé d'une Disparition ?

Mystik hésita. Que signifiaient toutes ces questions ? Il n'en avait aucune idée, mais il lui fallait répondre quelque chose...

Il bafouilla la première réponse qui lui venait à l'esprit. Une affirmation à laquelle il ne croyait pas lui-même.

— Je suis un bleu de Mésopotamie de pure race.

— Un quoi ?

— Un bleu de Mésopotamie, répéta Mystik. Nous sommes très rares. Des chats très spéciaux. Nous avons un pedigree.

La maîtresse des lieux haussa un sourcil.

— *Spéciaux ? Pedigree ?* Tu m'as pourtant l'air d'un chat tout à fait ordinaire : quatre pattes, deux oreilles, deux yeux, un museau, une queue. Comme tout le monde ! La seule chose qui m'importe, c'est ce que tu fais dans la vie.

Un nouveau coup de tonnerre fit trembler la cabane de bois. Mystik se gratta l'oreille. Droite, cette fois. Cela lui donnerait le temps de préparer sa contre-attaque. Il n'avait jamais entendu personne tenir ce genre de langage.

— Et toi, de quelle race es-tu ? demanda-t-il.

— C'est moi qui pose les questions, monsieur-le-chat-spécial.

Elle laissa échapper une moue de dégoût.

— Maintenant, dis-moi qui tu es *vraiment.* Tu fais partie de la bande du Rouquin ? Ou de celle d'Ellie-la-Désossée ?

Poursuivre le dialogue, c'était la meilleure tactique. Au moins, pendant ce temps-là, il serait au sec.

— Je t'ai dit la vérité. Je suis un bleu de Mésopotamie. Je vis avec ma famille, au sommet de la colline.

Avec un soupir, la chatte aux yeux moutarde tapota une petite planche de la pointe de ses griffes.

— Tout le monde sait qu'il n'y a rien à manger là-haut. Même les gangs ne se fatiguent pas à aller fouiner dans ces parages. Allez, crache le morceau. Tu fais forcément partie d'une bande, sinon un avorton de ton espèce serait mort de faim depuis longtemps.

Mystik fut frappé de plein fouet par ce dernier commentaire. Un mélange d'humiliation et de surprise. Il était mortifié d'avoir été comparé à une race inconnue, celle des avortons (Noé ne l'avait jamais mentionnée : de quelle région du monde ces chats étaient-ils originaires ?), et tout surpris que la chatte ne connaisse pas la maison de la Comtesse. Le monde extérieur et celui dont il était originaire semblaient totalement coupés l'un de l'autre.

— Écoute, puisque tu es si supérieur et si malin, comment se fait-il que tu te sois retrouvé seul dans le parc au beau milieu d'un orage ?

— Je suis sorti de chez moi parce que je devais parler à un chien, répondit naïvement Mystik.

La chatte le considéra bouche bée, comme si elle n'avait jamais rien entendu d'aussi extraordinaire. Ni d'aussi stupide...

— Les chiens sont des monstres gigantesques et très bruyants, expliqua-t-il.

— Je sais ce que c'est qu'un chien, merci ! répliqua l'autre d'un air pincé.

« Super ! songea Mystik. Dans ce cas, elle pourra peut-être me venir en aide ! »

— Tu sais comment les aborder ? demanda-t-il.

La chatte se dressa sur son séant, comme si elle ne pouvait croire ce qu'elle venait d'entendre.

— Je sais, ça peut paraître bizarre, reprit Mystik, mais il faut que je le fasse, pour sauver ma famille. Elle court un grand danger.

La chatte en noir et blanc éclata de rire.

— Il croit vraiment qu'il peut parler avec un chien ! Il ne plaisante pas !

Son rire lui-même ressemblait au crissement des graviers sous les pas. Mystik fit mine de lisser son pelage pour masquer sa gêne. Qu'avait-il donc dit de si drôle ?

— Qu'est-ce que tu portes autour du cou ? demanda son interlocutrice.

— Tu veux parler de mon collier ?

— Un collier...

Une expression étrange apparut sur son visage. Puis elle sembla s'apaiser.

— N'est-ce pas ce que portent les animaux domestiques ?

Mystik avisa le cou de l'occupante des lieux. Elle n'en portait pas, elle, de collier.

— Je comprends, maintenant, fit-elle. Tu es un chat domestique qui s'est trouvé pris au dépourvu par l'orage. Tu ne fais partie d'aucun gang. Tu ne connais rien de rien de cette ville, hein ?

Mystik voulut d'abord le nier. Puis son rêve lui revint en mémoire. L'Ouverture d'esprit, le premier Pouvoir : *C'est seulement lorsqu'on admet ne rien savoir que l'on peut vraiment savoir.*

— Tout ce que je sais, c'est que j'ai besoin de ton aide, fit-il calmement. J'ai besoin de rester ici jusqu'à la fin de l'orage, et je dois trouver un chien qui accepte de m'accompagner.

Elle le regarda dans les yeux pendant un long moment. La pluie ne cessait de battre sur le toit de la frêle cabane.

— D'accord, chat de luxe, lâcha-t-elle enfin. Tu peux rester. Mais dès la dernière goutte de pluie tombée, tu débarrasses mon plancher. Compris ?

Mystik sourit de toutes ses dents.

— Compris, m'dame.

— À une condition : tu évites de me parler de chiens, ça me file des angoisses, marmonna-t-elle.

Ils restèrent assis dans la pénombre, silencieux. Pourtant, Mystik fourmillait de questions. Y avait-il beaucoup d'autres chats à l'extérieur ? Qui étaient ces gangs et de quelles disparitions voulait-elle parler ? Et de quelle manière, *exactement*, s'adressait-on à un chien ?

Il y avait tant de nouveautés à découvrir, à comprendre. Mais la chatte au pelage noir et blanc s'était roulée en boule tel un porc-épic. Toute autre parole aurait constitué un assaut contre le mur de silence invisible qu'elle avait placé entre eux.

La pluie dura bien longtemps. Mystik commençait à frissonner. Il avait froid et il était fatigué. Ses paupières s'alourdirent. Il s'efforça de les garder ouvertes, mais elles se fermaient toutes seules.

Ce devait être très imprudent de s'endormir dans un lieu étranger en compagnie d'une étrangère, mais il n'allait pouvoir s'en empêcher, il le sentait...

Il prit place dans un coin de la cabane et s'endormit en tremblant de froid, cependant que des gouttes de boue se détachaient une à une du plafond pour atterrir sur son pelage souillé.

9

DU RÊVE À LA RÉALITÉ

Mystik rêvait.

Il rêvait qu'il rêvait qu'il était de retour en Mésopotamie.

Il rêvait qu'il marchait le long d'une rivière dans la chaleur de la nuit. Des arbres biscornus ondoyaient sous la brise tiède. L'air sentait la cannelle, il avait un goût de datte bien mûre. Les étoiles scintillaient dans le ciel.

Calife marchait à son côté.

— Pouvez-vous m'apprendre à parler aux chiens, Calife ?

— À quelle espèce appartiennent ces arbres ? demanda le vieux chat, de but en blanc.

— Euh... les arbres ?

— Tout autour de nous, il y a des arbres. Tu les as peut-être remarqués ? ironisa Calife.

Les arbres biscornus, dont les branches zigzaguaient vers le ciel, Mystik les avait vus, bien sûr !

— Alors, à quelle espèce appartiennent-ils, mon garçon ?

Le chaton serra les lèvres. Calife ne lui parlait pas du sujet qui l'intéressait, et Mystik ne connaissait rien aux arbres. Il ne voulait pas décevoir son illustre ancêtre, mais que faire d'autre ?

— Je ne sais pas, admit-il.

Calife s'arrêta de marcher et se campa fermement sur le sol.

— La Conscience, répondit-il. C'est le Deuxième Pouvoir. Pour survivre dans le monde, il faut avoir conscience de tout ce qui s'y trouve. Que tu cherches de la nourriture, que tu t'apprêtes à combattre un ennemi ou même... à parler à un chien, tu dois savoir à qui, ou à quoi, tu as affaire. Ne présuppose rien. Ne t'appuie que sur des faits avérés. Tes sens doivent être perpétuellement en éveil. Laisse-les se déployer telles de grandes ailes. Observe le monde : regarde, écoute, goûte. Oui, goûte le monde.

Cette fois, Mystik savait quoi répondre.

— L'air sent les dattes, suggéra-t-il.

— En effet, mon garçon. C'est parce que ces arbres sont des dattiers. Tu vois les zigzags sur le tronc ? C'est à eux qu'on reconnaît un dattier.

Calife pointa le doigt vers les arbres qui se trouvaient de l'autre côté de la rivière. Il les nomma tous, les uns après les autres, et enseigna à Mystik comment les reconnaître grâce au dessin de leur tronc et à l'odeur de leurs fruits. Mystik enregistra tous ces précieux renseignements à l'ombre des palmiers, pendant un temps aussi intemporel qu'interminable, puis récita sa leçon.

— Encore, ordonna Calife.

C'était un instructeur intransigeant.

— Encore.

Et puis, enfin :

— C'est bien.

— Je ne savais pas qu'il se trouvait tant de choses dans le monde, constata Mystik.

— C'est que, jusqu'à maintenant, tu n'as utilisé qu'une petite partie de ton potentiel. Le reste est emprisonné à l'intérieur de toi. Mais tu es capable de n'importe quoi, mon fils, tu peux faire tout ce que tu veux. Chacun de tes sens est semblable à un réseau d'antennes qui scrutent le monde qui t'entoure. Tes moustaches peuvent détecter le moindre changement dans l'air, le moindre mouvement. Ton nez peut sentir la peur à plusieurs centaines de mètres. Une fois que tu auras développé ce Pouvoir, ta Conscience te permettra de percevoir le danger, elle te préviendra si tu es menacé.

Soudain, les oreilles de Calife se dressèrent. Il se tapit contre le sol.

— Écoute ! Tu entends ?

Mystik n'entendait que les bruits paisibles de la nuit mésopotamienne. Rien d'inhabituel.

— Fais attention ! ordonna Calife. À l'extrémité de la rangée d'arbres, tout près de l'eau, on entend de petits cris aigus, et aussi des grattements. Tu les perçois, maintenant ?

Mystik ferma les yeux et se concentra. Il lui fallut un long moment, mais... oui, Calife avait raison. Il entendait, maintenant.

— Je les entends, mais qu'est-ce que c'est ?

— Notre petit déjeuner, répondit Calife.

Miam ! songea Mystik. Chic alors ! Ce n'est pas trop tôt...

— ... Ohé ? Chat de luxe ! La pluie est finie.

Mystik entendait un petit cri aigu dans le lointain, un grattement, ou plutôt un grincement...

— Ohé ? Mistigri ! Réveille-toi !

Il ouvrit les yeux. Une fois encore, le rêve avait pris fin comme il avait commencé. Par surprise. Mystik était de retour dans la cabane de bois détrempée, au milieu du parc. Il avait froid et faim, il était tout humide.

— Tu as parlé de petit déjeuner ? grogna-t-il.

Il se dressa sur son séant et se gratta mollement une oreille. Il en sortit une giclée d'eau saumâtre.

— Petit déjeuner ? fit une autre voix, inconnue.

Mystik tourna la tête vers la porte. Elle était ouverte. Une chatte bien enveloppée, à la fourrure brun chocolat fort peu soignée, se trouvait là.

— Je n'ai pas entendu cette expression depuis longtemps, dit-elle. Tu te souviens de ton dernier petit déjeuner, Holly ?

La maîtresse des lieux secoua la tête.

— Non, pourquoi, tu as mis la patte sur quelque chose ? demanda-t-elle.

— Penses-tu ! Pas l'ombre d'une saucisse en

vue... mais toi, on dirait que tu as fait une trou-
vaille.

Elle adressa un clin d'œil à Mystik.

— Où l'as-tu dégoté, ton minet ?

— Mêle-toi de tes oignons, rétorqua Holly,
toujours aussi bougonne.

Puis elle se tourna vers Mystik.

— L'orage est fini. Alors, prends tes cliques et
tes claques.

Décidément, Mystik ne comprenait pas le langage de son hôtesse d'un jour... Que d'expres-
sions nouvelles il aurait entendues en l'espace de
quelques heures !

Il risqua le nez au-dehors. La nuit était tombée
de nouveau. La température était glaciale.

— Holà ! Holly, ne me dis pas que tu as un
cœur de pierre. Tu laisserais ce pauvre minou
tout seul dehors par une nuit pareille ? Regarde-
le : il ne ferait pas de mal à une souris.

Elle minauda à l'adresse de Mystik.

— Je me présente : Ratatam, mais tout le
monde m'appelle Tam. Ne prête pas attention à
Holly. Elle est de mauvaise humeur, mais c'est
une bonne pâte.

— Boucle-la, répliqua la bonne pâte.

Mystik croisa son regard. La moutarde lui était montée aux yeux...

— Alors, vas-tu m'aider à trouver un chien ? demanda-t-il.

— Un chien ? répéta Tam tout en ouvrant des yeux ronds. Pour quoi faire ?

— J'aurais un service à lui demander, répondit Mystik.

— Un service à demander à un... chien ? murmura Tam.

Mystik rentra la tête dans les épaules.

— Je sais, ce n'est pas facile du tout d'arrêter un de ces monstres dans son élan.

Le pelage désordonné de Ratatam fut secoué de hoquets.

— Te rends-tu compte de ce que tu dis ? interrogea-t-elle, éberluée.

— Ne l'écoute pas, Tam, intervint Holly. Il ne sait pas de quoi il parle.

— Si, parfaitement ! maugréa le chaton.

Il en avait plus qu'assez d'être humilié par cette chatte indélicate et brutale, qui avait tout d'un garçon manqué.

— Ah oui ? Alors, dis un peu à Tam comment tu t'appelles... commanda-t-elle avec un sourire en coin.

Avec toute la dignité requise, le chaton répondit :

— Je m'appelle Mystik, et j'appartiens à la noble lignée des bleus de Mésopotamie.

Cette révélation fut d'abord accueillie par un silence embarrassant. Puis Ratatam se mit à pouffer. Holly darda un sourire moqueur.

— Un bleu de Mezzo... ratatamie ? fit Tam en s'étranglant de rire. Ratatam ! Ratatamie ! Ha ! Ha ! Hi ! Hi !

— Mésopotamie. C'est la région du monde dont ma famille est originaire.

— C'est pas banal, constata Ratatam. Et ça se trouve où ?

Mystik se gratta le sommet du crâne.

— Je ne le sais pas vraiment, admit-il, mais...

— Tu n'y es jamais allé ?

— Seulement en rêve.

Cette fois, les deux chattes hurlèrent de rire en chœur. Le plus drôle, c'est que Mystik ne s'en offusqua pas. Après tout, c'était toujours mieux que d'être tarabusté par Julius. Ces chattes étaient si différentes des membres de sa famille. Il appréciait leur entrain, leur mordant, même quand elles se moquaient de lui. Il se mit à rire de bon cœur avec elle, et, l'espace d'un instant,

sentit disparaître la barrière invisible qui les séparait.

— Bon, eh bien, si tu n'es pas de là-bas,
conclut Ratatam, c'est que tu es d'ici. Donc, tu
es des nôtres.

— Non, il n'est pas d'ici, corrigea Holly. C'est
un chat domestique. Il dit qu'il habite en haut de
la colline, et qu'il s'est perdu dans l'orage.

— Je suis ici pour sauver ma famille, expliqua
Mystik.

— Ah oui ? fit Ratatam dans un souffle. De
qui ?

— D'un gentleman. Il possède ces deux chats
noirs effrayants. Même leurs yeux sont noirs. Et
leur démarche est bizarre.

Mystik marqua une pause. À la seule évocation
des deux clones, son sang s'était figé dans ses
veines.

Les deux filles le contemplaient avec incrédulité.

— Comme ça, dit-il.

Et il tenta d'imiter la démarche des chats noirs,
mais se rendit vite compte que, seul, il n'y parvenait pas vraiment.

Les deux amies pouffèrent de nouveau.

— Je l'aime bien, fit Ratatam. Il me rappelle Luka.

Les rires se turent instantanément et la cabane fut plongée dans un silence de mort. Mystik leva les yeux vers Holly. Son regard couleur moutarde s'était assombri.

— Luka était un ami à nous, expliqua Ratatam. Il me ressemblait physiquement, mais il s'exprimait un peu comme toi. Il nous faisait toujours rire. Et puis, il s'est associé à un gang. À ce moment-là, nous avions beaucoup de mal à trouver de la nourriture... les gangs accaparaient tout. Nous avions tellement faim !

— Je lui ai dit que ce n'était pas une bonne idée, poursuivit Holly, mais il n'a rien voulu entendre. Et puis il a disparu. Comme par magie... Tu parles d'un copain !

— Il est parti ?

— Non, il s'est évanoui sans laisser de trace. Ça se produit tout le temps dans cette ville.

Elle alla se poster dans l'encadrement de la porte. La barrière invisible s'était de nouveau dressée entre elle et lui.

— Mais il ne faut rien attendre d'autre des amis. Ça ne vaut pas la peine d'en avoir.

— Pourquoi pas ?

Mystik aurait donné ou fait n'importe quoi pour un ami. Rien au monde n'avait plus de valeur.

— Parce qu'ils te laissent toujours tomber, à la fin. Alors, mieux vaut rester seul.

— T'en fais pas, bonhomme, interrompit Ratatam. Elle ne le pense pas vraiment. Elle joue les dures, mais je n'ai pas de meilleure amie au monde. Et elle t'aime bien, je le sais.

— Ça suffit ! miaula Holly. (Elle semblait piquée au vif.) Si vous vous entendez si bien tous les deux, pourquoi ne partez-vous pas ensemble ?

Sans attendre de réponse, elle sortit de la cabane et fila se promener. Mystik lui emboîta le pas. Il ne pouvait pas la laisser s'éloigner sans réagir. Il éprouvait le sentiment étrange que quelque chose d'important était en train de lui glisser entre les pattes.

— Attends... dit-il.

— Ne me suis pas ! gronda-t-elle, le poil tout hérissé.

Et elle reprit sa route en solitaire, tel un porc-épic en colère.

— Pardon, Holly ! appela Ratatam en sortant à son tour de la cabane. Je n'aurais pas dû mentionner Luka. J'ai tout gâché. Holly, attends-moi !

Elle s'enfonça dans la nuit à la poursuite de son amie.

Et Mystik se retrouva seul.

Face à ses responsabilités.

Face au monde.

Face à lui-même.

10

LES MONSTRES AUX YEUX JAUNES

Mystik était parvenu à l'extrémité du parc, aux portes de la ville. Il ne pouvait voir plus loin que le premier immeuble qui se dressait devant lui, gigantesque. Sa façade de briques mesurait dix fois plus que le mur d'enceinte de la maison de la Comtesse.

Le chaton s'arrêta à hauteur de la grille du parc. Devant lui se trouvait un trottoir étroit, qui bordait une large route noire éclairée de lampadaires diffusant une lumière orangée. Ces arbres métalliques ne sentaient pourtant pas l'orange, et encore moins les dattes mûres. Mystik se sentait observé, à la merci de ces tiges immobiles qui bourdonnaient au-dessus de lui.

Plus loin sur le trottoir, un groupe d'êtres humains discutaient, riaient, criaient. Mystik ne voulait pas être vu. De l'autre côté de la route, il avisa une petite allée tranquille. Il y serait plus en sûreté.

Le chaton passa la grille et s'immobilisa tout net. Devant lui, alignée au bord de la route, il aperçut une colonne entière de monstres métalliques étincelants. En file indienne, ils ne bougeaient pas, ne produisaient aucun son. Leurs yeux semblaient éteints, ternes, et leurs roues ne tournaient pas.

Mais c'étaient à coup sûr des chiens, et Mystik allait pouvoir tenter sa chance. Engager le dialogue.

— Excusez-moi, dit-il timidement.

Aucun d'entre eux ne réagit. Pas même un cillement. Peut-être dormaient-ils.

Mystik inspira fortement et s'approcha, prêt à prendre ses jambes à son cou si d'aventure ils se réveillaient. Il descendit du trottoir et allongea une patte pour effleurer la carcasse métallique de l'un des monstres.

C'était froid. Celui-là ne devait pas être seulement endormi, mais carrément mort. Le chaton fut secoué d'un frisson.

Un peu plus loin, Mystik entendit un crissement, puis un rugissement qui se rapprochait. Il se glissa entre deux monstres, jusqu'au centre de la route, et tourna la tête vers la gauche, d'où provenait ce bruit étrange. Il aperçut alors une meute de chiens, bien vivants ceux-là, qui fonçaient dans sa direction.

Il avait oublié combien ils étaient rapides et féroces. Leurs yeux jaunes étaient si éblouissants que Mystik ne pouvait même pas les regarder en face. Pas étonnant que les êtres humains en soient effrayés ! Massifs, puissants, impossibles à stopper dans leur élan, les monstres défilèrent devant lui l'un après l'autre, dans un vacarme assourdissant. Dans leur sillage flottait une odeur pestilentielle, qui fit tousser le chaton, encore et encore.

Il se recroquevilla sur lui-même, soulevant les paupières à demi le temps de regarder les yeux rouges, à l'arrière, s'éloigner vers une destination inconnue.

Quelque chenil spécialement adapté à ces créatures barbares ?

Que dois-je faire, Calife ?

La Conscience, le deuxième Pouvoir. *Avant d'entreprendre quoi que ce soit, tu dois savoir à qui, ou à quoi, tu as affaire. Ne présuppose rien. Ne t'appuie que sur des faits avérés.*

Compris.

Les faits étaient les suivants : ces chiens ne lui prêteraient pas la moindre attention s'il restait debout là et les appelait. Ils ne l'entendraient même pas. Il fallait qu'il commence par en arrêter un dans sa course folle.

Il n'y avait qu'un moyen d'y parvenir, et Mystik ne le trouvait guère à son goût : en effet, il lui faudrait se placer en travers de leur chemin, au beau milieu de la route, alors qu'ils se rueraient sur lui en vrombissant. Ils finiraient par l'apercevoir, au dernier moment, et n'auraient d'autre choix que de s'arrêter.

Il lui faudrait des tonnes de courage, mais il s'en savait capable. Il en était sûr.

C'était compter sans le constat qui s'imposa l'instant d'après. Il n'était ni Calife, ni même Julius. Les chiens ne s'arrêteraient jamais pour lui. En admettant qu'ils l'aperçoivent, ils poursuivraient leur route et l'écraseraient.

« Ils me tueront ! songea Mystik avec horreur. Ce serait pure folie que d'essayer. »

... Pourtant, il se devait d'essayer. Il le devait à Noé, qui avait sacrifié sa vie pour qu'il ait une chance d'essayer. Il le lui avait demandé à lui. À personne d'autre. Ce sacrifice resterait vain si Mystik n'était pas prêt à mettre sa vie en jeu, lui aussi.

N'avait-il pas toujours voulu que lui soit offerte la chance de faire ses preuves, de montrer au monde qu'il était un bleu de Mésopotamie pur sang, « pur jus » ?

Mystik ferma les yeux. Inspira fortement. Et vint reprendre place au milieu de la chaussée, sur le passage des chiens.

Bientôt, une autre paire d'yeux jaunes apparut au loin. Il pouvait sentir l'haleine fétide de la bête. Son mugissement étourdissant. Noé avait raison : ces monstres emplissaient le cœur de crainte. Il serra les dents, planta ses griffes dans le sol et hurla :

— Arrête-toi !

Mystik regarda droit dans les yeux jaunes, aveuglants. Il passa outre à la douleur perçante, aux larmes qui coulaient de ses yeux. Il resta sourd à l'appel de ses muscles, qui l'imploraient de faire un bond de côté. Il resta immobile.

Il se remémora le vieux Noé, dans le jardin, faisant face aux deux chats du gentleman.

Si courageux.

C'est ce dont Mystik avait besoin en cet instant : d'un courage inébranlable.

— Je t'en prie ! Arrête-toi ! miaula-t-il de nouveau. Je dois te parler !

Les yeux grossissaient, de plus en plus. Le monstre se rapprochait. Toujours plus près. Et derrière lui, d'autres suivaient. Toute une meute.

Parfait.

Ils fonçaient droit sur lui. Ils ne pourraient pas continuer leur chemin sans lui passer dessus.

Calife aurait pu le faire. J'en suis capable aussi, se dit Mystik.

Les monstres n'étaient plus qu'à quelques dizaines de mètres. Les griffes du chaton s'étaient enfoncées dans le bitume.

— J'ai besoin de votre aide ! s'égosillait-il. S'il vous plaît ! *Je vous en supplie !*

Mais les monstres ne ralentirent pas l'allure. Au contraire, ils accélérèrent leur course folle.

Vrombissant, poussant des cris stridents, fondant droit sur lui.

« Ne bouge pas. Reste en place, ne... »
VVRRAAAMMMM !

... un tourbillon de poussière...

... le pelage dressé sur le dos...

... les oreilles rabattues...

Des monstres surgissaient de tous côtés.

... sur sa gauche...

... sur sa droite...

... sur sa gauche...

... trois petits tours et puis s'en vont...

L'instant d'après, ils avaient disparu.

Et avec eux tout espoir de sauver la famille de Mystik.

Le chaton resta cloué sur place de longues secondes, aplati contre le bitume. C'est dans cette position qu'il gagna le trottoir d'en face, n'osant pas se redresser. S'il avait bougé d'un iota, s'il avait seulement respiré quand les chiens l'avaient frôlé, ils l'auraient détruit.

Il était passé « à un poil » de la mort. Mais ce n'était pas le pire.

Le pire, c'est qu'il avait échoué.

La queue basse, Mystik leva les yeux vers le sommet de la colline, de l'autre côté du parc. Pas question pour lui de retourner là-bas, pas sans un chien. Reverrait-il seulement sa maison natale ? La cuisine remplie d'écuelles, le fauteuil en velours rouge de la Comtesse, la souris en plastique ? Non, sans doute pas...

Il se glissa dans une ruelle qui le conduirait loin des monstres, loin de la colline, loin des souvenirs qu'il chérissait. Une ruelle étroite, vibrante des ombres de la nuit.

Elle était déserte. Une montagne de sacs-poubelle noirs bourrés d'ordures avaient craqué sous la pression. Des fentes béantes dégoulinait de la nourriture avariée, comme du sang coulant d'une blessure. Le sol était jonché de détritus : pain détrempé, fruits gâtés, pourrissant dans l'oubli.

Mais il flottait dans l'air un fumet beaucoup plus appétissant, que la pestilence ambiante ne parvenait pas à masquer totalement. Le fumet de la viande fraîche. L'estomac de Mystik se mit à gargouiller. Il y avait longtemps qu'il n'avait pas mangé.

Il se revit narguant ses parents, Léopold et Léonie, jouant le fier-à-bras qui voulait chasser. L'aiguillon de la honte le transperça de nouveau. Facile de parler de la chasse, mais la pratiquer, c'était une autre paire de manches. Lui, le pleutre

114

qui ne parvenait même pas à stopper un chien ! Lui, l'insecte qui avait déshonoré toute sa famille ! Comment pourrait-il chasser à la manière de son glorieux ancêtre ?

Non, il ne « chasserait » rien de mieux qu'un reste de viande toute sèche, glané au détour d'une poubelle.

Mystik se laissa guider par l'odeur alléchante. La Conscience en éveil, il escalada un mur et retomba de l'autre côté, dans l'endroit le plus misérable qu'il ait jamais vu.

C'était une petite cour encaissée entre deux immeubles. Il ne pouvait même plus apercevoir le ciel ; la lune et les étoiles avaient disparu. Il ne voyait plus que des tours de béton, qui l'encerclaient en silence, menaçantes. Toutes les portes et fenêtres étaient closes, comme si leurs occupants essayaient de cacher quelque chose, ou d'empêcher on ne sait quoi de pénétrer à l'intérieur.

Il fit encore quelques pas en direction d'un conteneur métallique, qui trônait au milieu d'une flaque d'eau. Mystik sauta sur le couvercle entrebâillé et glissa un nez avide à l'intérieur. Il sentit alors qu'on effleurait son épaule.

Il laissa échapper un cri de surprise, fit un

mouvement de côté et se retourna. Halte-là, qui va là ? Il battit l'air de ses pattes... et découvrit un sac en plastique qui voletait au gré de la brise et tournoyait autour de lui comme si c'était lui le chasseur et Mystik sa proie. Le chaton secoua la tête avec incrédulité. Pourquoi était-il si nerveux ?

Il concentra de nouveau son attention sur la viande. De près, elle sentait nettement moins bon. En réalité, il s'agissait d'un morceau de carne avariée : c'est la raison pour laquelle son fumet voyageait si loin... Mystik fronça le nez. Ce n'est pas ainsi qu'il avait imaginé la vie au-dehors. Si seulement il avait pu mettre la patte sur un bol de caviar du gentleman ! Mais non. Un morceau de viande pourrie, c'est tout ce qu'il méritait.

Mystik replongea le nez dans le conteneur et c'est alors que les forces de l'enfer se déchaînèrent. De partout, et même de l'intérieur du conteneur, jaillirent cinq gros matous restés tapis dans l'ombre, la cachette idéale. Aucun d'entre eux ne portait de collier.

Mystik tenta bien de se protéger avec ses pattes, mais ils furent plus rapides. Dans un éclair de violence rageuse, ils l'arrachèrent à son perchoir et le plaquèrent au sol. Le plus gros d'entre eux, un matou roux pas très doux, se dressa devant lui de toute sa hauteur. De ses griffes acérées et vives comme l'éclair, il lacéra le visage de l'intrus. Mystik miaula de douleur.

— CE SONT *NOS* POUBELLES, AVORTON ! aboya le rouquin. RENTRE-TOI ÇA DANS TA PETITE TÊTE DE MINUS !

— Un minou minus, ha ! ha ! renchérit l'un de ses acolytes en s'esclaffant...

... ce qui lui valut à son tour un coup de patte du rouquin.

Mystik profita de cette diversion pour dégager une de ses pattes et lacérer en retour le visage de son agresseur. Ce dernier ne réagit pas. Aucun signe de douleur. Mais il ouvrit la bouche toute grande et cracha sur Mystik. Les quatre autres déferlèrent sur lui, véritable déluge de griffes et de dents.

Mystik poussait des hurlements. Il crut sa dernière heure arrivée.

— Que sais-tu des Disparitions ? demanda le rouquin, qui était aussi grand que les chats du gentleman.

— Quelles disparitions ? répondit Mystik d'une voix étouffée.

— Ne fais pas l'innocent. Tu as très bien compris ce que je voulais dire.

Roué de coups, ensanglanté, Mystik n'avait plus aucun doute. Il allait mourir, dans une ruelle obscure, au milieu des détritus. Une fenêtre s'ouvrit bien, dans l'un des deux immeubles qui encadraient la cour, mais il n'entendit que des protestations vite noyées sous le charivari des félins déchaînés.

Après tout, c'était aussi bien. Mystik se sentait soulagé. La mort mettrait un terme à ses souffrances. Personne ne saurait qu'il était passé de vie à trépas. Et il ne méritait pas de vivre, pas après avoir fait faux bond à tous les siens.

Déjà, tout semblait lointain, comme si tout cela était arrivé à quelqu'un d'autre. Puis, soudain, il reçut une douche froide. Quelqu'un avait jeté le contenu d'un seau d'eau par une fenêtre. Les matous s'ébrouèrent et s'apprêtaient à bondir de nouveau sur leur victime quand, tout d'un coup :

— Laisse-le tranquille, le Rouquin, fit une voix rauque.

— Par ma barbe, regardez qui voilà ! C'est un copain à toi, Holly ?

— Laisse-le. Il ne sait rien.

Le matou fit vibrer ses moustaches.

— Qu'à cela ne tienne, ma belle. Il apprendra...

Quelque chose s'enfonça dans les côtes de Mystik. Une douleur intense dans tout le corps...

... Puis les ténèbres.

11

Un chat chassant chasser...

Au plus profond de l'obscurité, Mystik rêvait.

Il marchait le long du fleuve, en Mésopotamie, sa terre natale. Les palmes des dattiers oscillaient mollement dans la touffeur de la brise. L'air nocturne embaumait la cannelle. Calife avançait à son côté.

— Calife ! J'avais peur de ne jamais vous revoir...

— Pourquoi de la cannelle ? demanda Calife, comme s'il n'avait pas entendu.

— La cannelle ?

— Tu as peut-être pris conscience de cette odeur qui flotte autour de nous ? Maintenant, suis-moi en silence.

Calife le conduisit vers un groupe d'hommes, attroupés au bord de l'eau. Ils étaient assis autour d'un feu de camp et faisaient cuire leur repas dans une poêle qui grésillait. Le fumet le plus merveilleux du monde émanait de cette poêle. C'était chaud, parfumé à la cannelle, croquant, craquant, grisant, enivrant, et Mystik aurait donné n'importe quoi pour goûter le plat qui sortirait de cette poêle. Ses narines frémissaient d'envie, il salivait. Il prit conscience... qu'il était affamé.

Un couple de chats gras et paresseux tournaient autour du feu. L'un des hommes attrapa quelque chose dans la poêle et le leur envoya. Mystik adressa un sourire radieux à Calife. De toute évidence, ils allaient se joindre au festin. Il allait avoir sa part de ce ragoût délicieux qui mijotait.

Mais Calife secoua la tête.

— Ce ne sont pas des chats dignes de ce nom.

Ils ont oublié comment on chasse. Ils se comportent comme des vautours et sont pris au piège de leur propre voracité. Ils sont devenus esclaves des hommes. Ils sont comme morts, déjà.

Le rouge de la honte monta aux joues de Mystik. Il se rappela soudain ce lambeau de viande avariée par lequel il avait été attiré.

— Mais si on a faim et qu'on ne trouve rien d'autre ? suggéra-t-il.

Les yeux de Calife lancèrent un éclair ambré, semblable aux premiers rayons du soleil.

— Un chat, c'est l'idée de la liberté, enveloppée de chair, répondit-il d'un ton solennel. On ne peut le garder prisonnier. Pour être vraiment vivant, il doit être libre, et un chat en liberté pratique la chasse. Il ne se nourrit jamais des restes des hommes et ne dépend pas d'eux pour sa survie. Il ne compte que sur lui-même.

Mystik contempla le sol avec désarroi. Il aurait souhaité disparaître dans un trou de souris.

— J'ai échoué, Calife. Je n'ai pas répondu à ton attente. Je n'ai répondu à l'attente de personne, se lamenta-t-il.

— Commettre une erreur, ce n'est pas échouer, mon fils. Ce qui importe, c'est de tirer les leçons de son erreur.

Mystik releva la tête. Le vieux chat lui souriait. On aurait dit un rayon d'espoir dans les ténèbres.

— Je veux apprendre à chasser, Calife.

— Alors je vais t'apprendre. Je te rendrai ce savoir qui s'est perdu dans la nuit des temps. Je t'enseignerai la Chasse, avec un « C » majuscule, car c'est le Troisième Pouvoir. Maintenant, montre-moi l'usage que tu fais de ta Conscience : trouve l'origine de ces stridulations que tu as entendues lors de ta dernière visite en ces lieux.

Mystik dressa les oreilles, déterminé à ne pas échouer de nouveau. Le chant venait de la berge du fleuve. À l'aide de ses moustaches, véritables radars sensoriels, il détecta des ondes dans l'air ambiant, puis il en identifia la source avec précision.

— Des criquets, dit-il. Quatre. Cachés derrière ces roseaux, là-bas.

— Correct.

Calife s'avança à ras du sol en direction des roseaux. Le chaton s'émerveilla de ce spectacle. On aurait cru Calife monté sur coussinets d'air. C'était la furtivité incarnée.

— Quand tu suis ta proie à la trace, chuchota le fier Calife, tu dois devenir ta proie. Elle doit faire partie de toi-même. Respire comme elle.

Pense comme elle. Quand tu ne feras plus qu'un avec ta proie, tu connaîtras ses moindres mouvements. Alors tu pourras faire le premier pas. C'est le secret du Troisième Pouvoir et c'est la raison pour laquelle il vaut mieux être seul pour chasser. Essaie.

Les criquets faisaient vibrer leur archet, tapis à l'intérieur des hauts roseaux qui déployaient leur crête cotonneuse dans les effluves du soir. À pas de chat, Mystik et Calife se rapprochèrent de leurs proies. Le chaton sélectionna sa cible. Puis il s'immobilisa, attendit, l'œil en alerte, laissant toute l'ampleur de sa Conscience se déployer sur le criquet. Chaque fois que l'insecte remuait, les moustaches de Mystik frémissaient, analysant sa vitesse, sa trajectoire.

Il se concentrait pleinement sur l'animal, comme si plus rien d'autre n'existait au monde, comme si lui-même n'existait plus.

Les criquets reprirent leur stridulation. Se sentaient-ils observés ?

Ils étaient sur le point de se déplacer, Mystik le savait avec une certitude absolue.

Ses pattes se bandèrent tels deux ressorts. Il resta ainsi tendu jusqu'au point de rupture pendant plusieurs minutes, jusqu'à ce que le moment de bondir arrive. Là, il se déploya dans les airs et jaillit tel un diable de sa boîte. Ses griffes allongées se plantèrent dans sa proie, la clouant au sol, tel un papillon sur un morceau de liège. Il ouvrit les mâchoires, prêt à enfoncer les dents...

— ASSEZ ! ÇA SUFFIT ! hurla Calife.

Mystik relâcha l'insecte tout étourdi. Qu'avait-il fait de mal, cette fois-ci ?

Calife inspira fortement, comme s'il était essoufflé d'avoir regardé Mystik dans ses œuvres.

— C'était une attaque splendide. Tu possèdes le Troisième Pouvoir. Mais c'était seulement un entraînement. Tu allais le tuer...

— Mais... ce n'est qu'un criquet, protesta Mystik, mystifié.

— Et nous ne sommes que des chats. Rappelle-toi ceci : tu ne dois infliger de douleur que si tu n'as pas d'autre choix, seulement si ta vie est menacée. Tu ne prends que ce dont tu as besoin. Rien de plus. C'est ainsi que le monde est fait.

— Je suis désolé, Calife, s'excusa Mystik, piteux. Je ne savais pas...

— Et pourquoi te serais-tu contenté d'un seul criquet ? Il n'y a pas là de quoi nourrir ne serait-ce qu'une souris.

— Personne ne peut en attraper plus d'un à la fois.

Mystik était sûr de son fait.

— Ah non ? railla Calife.

Mystik baissa les yeux en direction des pattes de son glorieux ancêtre. Les trois autres criquets étaient en dessous et gigotaient sur le sol.

— Maintenant, concentre-toi, reprit Calife. Je vais te montrer comment faire.

12

SEULES DANS LA NUIT

Une langue aussi râpeuse qu'un tapis de gravier vint arracher Mystik à son rêve. Elle léchait un endroit de sa joue particulièrement douloureux. Des couleurs aveuglantes se mirent à exploser à l'intérieur de sa tête.

Il entrouvrit les paupières avec précaution et ne vit apparaître qu'un flou en noir et blanc...

— Tiens-toi tranquille, ordonna une voix

rocailleuse. Je sais que ça fait mal, mais tu n'as pas le choix. Il faut en passer par là.

Mystik referma les yeux et songea de nouveau à la Mésopotamie, à Califes, à cette délicieuse nourriture parfumée à la cannelle, à laquelle il n'avait pu goûter. Tout, même la faim, valait mieux que cette douleur insupportable.

— Voilà, dit enfin Holly. Tu ne gagneras jamais le concours du plus beau chat du monde, mais tu vas t'en tirer. Tu ferais mieux de t'en tirer, d'ailleurs...

Mystik ouvrit de nouveau les yeux. Holly se tenait au-dessus de lui, et derrière elle, il apercevait Ratatam.

Tous trois se trouvaient dans une allée étroite, recouverte de pavés, un chemin tranquille à l'arrière d'une rangée de hauts bâtiments. Des escaliers de secours métalliques conduisaient à des fenêtres noires de suie.

Depuis les toits, des tuyaux d'évacuation des eaux sinuaient, traversaient des grilles, puis s'enfonçaient sous terre pour déverser leur contenu dans les égouts.

Dans le lointain, il entendait ces monstres métalliques sans foi ni loi qui rugissaient sur les routes. Le goût de leur fumée empoisonnée imprégnait l'air. Mystik entendait aussi les miaulements, les feulements et les grondements des chats de gouttière qui vaquaient à leurs occupations. Mais, dans cette ruelle, ils n'étaient que trois. Aucun signe du Rouquin qui avait failli l'écharper.

Le chaton étira ses membres endoloris. Les arêtes froides et humides des pavés lui rentraient dans les côtes. Il lui semblait que son corps tout entier était tuméfié. Étrangement, toutefois, il ne se sentait pas trop entamé mentalement. Heureux d'être encore en vie. Heureux que cette chatte à la voix rocailleuse l'ait arraché aux griffes du Rouquin et de la mort.

— Tu te sens bien, Mystik ? demanda Holly. Parce que tu es resté dans le potage un sacré bout de temps.

— Dans le... potage ?

— Oui, dans le cirage, quoi !

— Ah... bien sûr, je comprends mieux, fit Mystik. Mais dis-moi, Holly, je croyais que tu ne voulais pas d'amis...

— Nous ne sommes pas amis, répliqua-t-elle du tac au tac. C'est juste que Tam a joué sur ma corde sensible. Elle m'a dit que je n'aurais pas dû t'abandonner, livré à toi-même dans cette jungle.

— Moi ? s'insurgea Ratatam. Comme si je pouvais te contraindre à faire quoi que ce soit !

— Quoi qu'il en soit, dit Holly, le Rouquin et sa bande ont dépassé les bornes.

Mystik se releva péniblement.

— C'est toi qui les as empêchés de me tuer, c'est ça ? Alors... tu m'as sauvé la vie.

— Oui, oui, c'est ça, c'est ça... Que de grands mots !

Holly sembla soudain embarrassée. Elle ne regardait plus Mystik dans les yeux. D'un bond, elle gagna une corniche de brique, à plusieurs mètres du sol, et fit mine de s'en aller, toute hérissée.

Mystik n'était pas prêt à la perdre une deuxième fois. Sans hésiter, il s'élança à sa poursuite. Subitement, il avait oublié ses blessures. Ratatam lui emboîta le pas.

Feignant de ne rien voir du manège qui se tramait derrière elle, Holly s'arrêta un instant pour contempler la lune. Mystik fit de même. L'astre nocturne avait nettement grossi depuis la dernière fois qu'il l'avait regardé.

— Où sommes-nous, exactement ? demanda-t-il.

— Nous sommes au cœur de la ville, répondit Holly. Personne d'autre que nous ne connaît ce dédale de ruelles. Tu seras à l'abri, ici.

— À l'abri de quoi ?

— Des gangs, idiot ! De ce côté-ci du parc, seul le centre-ville est un terrain neutre. Le gang du Rouquin règne sur l'est de la ville. À l'ouest, c'est Ellie-la-Désossée qui fait la loi. Quoi que tu fasses, ne la provoque pas comme tu as provoqué le Rouquin, conseilla Holly. Je pense que personne ne pourra t'aider si tu t'y risques. Le Rouquin est un dur, mais, au fond, c'est l'un des nôtres. Ellie-la-Désossée, c'est autre chose...

— Chut, malheureuse ! Elle pourrait nous entendre, feula Ratatam.

— Mais non, froussarde ! Ne sois pas stupide !

— Elle est partout, murmura Ratatam, qui n'en menait pas large.

Holly se retourna vers elle.

— Personne n'est partout à la fois, tu dis n'importe quoi.

— Oui, eh bien... elle n'est pas comme nous, tu l'as dit toi-même, insista Ratatam. Ellie-la-Désossée, c'est un cas à part.

Mystik se demanda ce que Holly avait voulu dire par « c'est autre chose »... Car il se sentait un point commun avec Ellie. À lui aussi, on avait répété qu'il n'était pas comme les autres, qu'il n'était pas « l'un des nôtres ».

— Qu'y a-t-il de si mal à être différent ? demanda-t-il naïvement.

Les yeux de Ratatam s'écarquillèrent.

— Eh bien, c'est qu'elle... elle... est toute blanche !

Holly poussa un gloussement.

— La belle affaire ! Toi, tu es toute marron. Ça change quoi ?

Ratatam se recroquevilla sur elle-même et adopta une expression horrifiée.

— Elle fait des choses qu'aucun autre chat n'est capable de faire.

— Quel genre de choses ? interrogea Mystik, que cette conversation intéressait au plus haut point.

Ratatam fut parcourue d'un frisson.

— C'est dangereux ne serait-ce que d'y penser, assura-t-elle.

Holly riboula des yeux cependant que Mystik partait d'un grand éclat de rire. « Cette Ratatam, elle aurait dû faire du cinéma ! Si jamais on réalisait un film avec des chats, elle décrocherait sans peine le premier rôle lors des auditions... »

— Je ne le répéterai à personne, c'est promis, répondit-il. Je sais garder les secrets.

Ratatam regarda autour d'elle d'un air inquiet. Puis, après avoir consulté Holly en silence, elle répondit :

— D'accord... Hum... Eh bien, pour commencer, elle peut se rendre invisible. Elle sort de nulle part, tu ne la vois pas arriver, et quand tu la vois, il est trop tard. C'est pourquoi personne n'a jamais réussi à la battre au combat.

— Peuh ! Ce ne sont que des racontars ! Des bobards invraisemblables... grinça Holly. Je n'en crois pas un mot. Mais je reconnais que c'est de loin le chat le plus coriace de toute la ville. Sans l'ombre d'un doute. Même le Rouquin est mort de trouille devant Ellie...

— De grâce ! s'exclama Ratatam. Ne prononce pas son nom !

Holly haussa les sourcils d'un air dédaigneux.

— Et il est tout aussi vrai que sa bande fait main basse sur toute la nourriture. C'est pourquoi nous devons garder le secret au sujet de nos cachettes et de nos « garde-manger ».

Elle sauta de la corniche. Mystik et Ratatam firent de même. Tous trois se glissèrent sous un grillage de fer pour passer dans la ruelle voisine.

S'il n'avait pas vu Holly le faire avant lui, Mystik ne s'y serait jamais risqué.

— Ellie et sa bande tentent de s'approprier la chasse gardée du Rouquin. C'est pourquoi il s'est montré si agressif quand il t'a vu fouiller dans ses poubelles.

— En parlant de poubelles, risqua Ratatam, hum... quand est-ce qu'on mange ? J'ai une faim de tigre, moi !

— Et moi donc ! renchérit Mystik.

Holly haussa les épaules.

— Il n'y a rien dans ces parages. J'ai déjà véri-fié, vous pensez bien... Nous pourrions aller cher-cher dans le parc. Ou alors... partir à la chasse.

— Pour chasser, il faut que nous nous sépa-rions et que nous partions chacun de notre côté, fit observer Ratatam. Moi, je préfère que nous restions ensemble...

Elle contempla ses pattes toutes crottées.

— Et puis, chasser... c'est difficile... et risqué...

— Non, ce n'est pas si difficile, dit Mystik.

Holly s'arrêta net et se retourna vers lui, inqui-sitrice.

— Parce que monsieur-le-chat-de-luxe sait chasser peut-être ?

Il n'en était pas sûr. Il s'en pensait capable mais il n'avait jamais chassé qu'en rêve.

— Je le crois, oui.

Holly pouffa de rire.

— Un chat sachant chasser doit savoir chasser sans son maître, ironisa-t-elle. Je n'ai jamais rencontré de chat domestique qui en soit capable.

Puis elle leva les yeux vers Ratatam.

— Et je connais des chats de gouttière qui n'en sont pas capables non plus.

Ratatam, piquée au vif, se rebiffa.

— Ce n'est parce que tu sais beaucoup de choses que tu es supérieure. Moi, je préférerais que tout le monde m'aime plutôt que d'être une mademoiselle-je-sais-tout ennuyeuse.

— Mais je t'aime, Tam, rétorqua Holly avec un sourire malicieux.

— Vraiment ? demanda Ratatam, d'un ton soupçonneux.

— Bien sûr.

Holly paraissait tout à fait sincère.

Aussitôt, Ratatam se détendit et se radoucit.

— Tout le monde t'aime, poursuivit Holly.

Un franc sourire se dessina sur le visage de Ratatam.

— Et tu sais qui t'aime le plus ?

— Qui ? interrogea Ratatam ? Qui, Holly ? Dis-le-moi !

La chatte à la voix rocailleuse marqua une pause, puis, d'un ton goguenard, elle lâcha :

— Ellie-la-Désossée ! !

Ratatam fit trois pas en arrière, tout effarouchée. Holly éclata de rire au spectacle de l'expression qui défigurait le visage de son amie. Mystik lui-même trouva la scène irrésistible. Derrière ses yeux moutarde, Holly dissimulait un sens de l'humour à toute épreuve. Un bon point pour elle. Mais la pauvre Ratatam n'avait rien vu venir, et son poil mal peigné se dressait sur son dos.

— Ce n'est pas très drôle, grogna-t-elle.

— Allons, venez ! lança Holly avec un clin d'œil. Voyons ce que nous pouvons dénicher de bon dans le parc.

Et le trio se mit en route vers la terre promise. L'endroit où il trouverait enfin, espérait-il, de quoi se rassasier après une longue période de jeûne.

13
LA CHANCE SOURIT À MYSTIK

Les trois chats émergèrent du dédale de ruelles dans une rue plus passante. Les bruits de la ville y étaient plus marqués. Mystik était particulièrement sensible aux hurlements et aux mugissements des chiens, beaucoup plus nombreux dans cette zone. Il y avait des êtres humains, aussi : leurs ombres longilignes filaient le long des murs et leurs chaussures claquaient sur les trottoirs.

— Garde la tête baissée, conseilla Holly qui ouvrait la marche.

Ils s'engagèrent dans une rue sombre et humide.

— Ne te fais pas repérer. On n'est jamais trop prudent dans cette partie de la ville.

— C'est dans ce quartier que se sont produites la plupart des Disparitions.

— Les Disparitions ? Que veux-tu dire ? demanda Mystik.

— Ça arrive partout en ville, murmura Rata-tam, mais surtout par ici. Un jour, un chat se promène dans ces rues, le lendemain, il a disparu. Plus aucune trace de lui. Évanoui dans la nature.

Ses paupières se fermèrent, et son poil désordonné se mit à frémir.

— Certains disent que c'est *elle* qui est responsable.

Mystik sourit et se tourna vers Holly. Il s'attendait à ce qu'elle en plaisante. Mais non. La queue de Holly décrivait un mouvement de balancier, signe d'anxiété.

— La vérité, c'est que personne n'en sait rien. Ça explique pourquoi le Rouquin et sa bande sont tellement à cran. Ils ont perdu plusieurs chats de haute volée. Qui sera le prochain ? C'est ce qu'ils se demandent.

Cette question ramena Mystik en arrière. Qui serait la prochaine victime du gentleman et de ses chats, maintenant que le vieux Noé était mort ?

Mais surtout, Mystik prenait douloureusement conscience du gouffre qui séparait son monde d'avant-hier de son monde d'aujourd'hui. Ici, au cœur de la ville, le gentleman et les bleus de Mésopotamie n'existaient pas ; quant à la maison de la Comtesse, elle n'hébergeait aucun gang et n'avait été le théâtre d'aucune disparition suspecte.

Que l'avenir lui réservait-il ? Deviendrait-il membre d'un gang ? Reverrait-il jamais la maison de la Comtesse ? Disparaîtrait-il à son tour ?

Toutes ces interrogations se mêlaient dans son esprit et il avait bien du mal à se convaincre qu'il possédait le Don.

Il n'était sûr que d'une chose : il ne pouvait pas rentrer chez lui bredouille, sans chien. Que lui faudrait-il pour survivre dans le monde extérieur ?

— Je devrais peut-être m'inscrire dans un gang ? suggéra-t-il tout de go.

Dans un gang, personne ne se soucierait de

savoir si c'était un bleu de Mésopotamie de pure souche ou s'il avait fait défaut à sa famille. Personne ne le saurait, de toute façon. Il pourrait être lui-même, se faire des amis.

Holly ne pouffa pas cette fois. Le cœur n'y était plus.

— Je m'en garderais si j'étais toi. Tu serais un « bleu », un débutant, et tout le monde te dirait quoi faire, et tu devrais acquiescer : « Oui, patron, comme vous voulez, patron. »

— Mais *je suis un bleu*, répliqua Mystik. Et fier de l'être ! En tout cas, la bande à laquelle j'appartiendrais serait différente des autres. Chacun pourrait faire ce qu'il lui plaît.

— Et puis-je te demander qui tu comptes recruter dans ton gang de gentils minets de luxe ? grogna Holly.

Mystik avait tout prévu. Il ne se démonta nullement :

— Eh bien, toi et Tam, pour commencer. On serait déjà trois.

— Oh, ce serait super ! miaula Tam, ravie à l'idée d'être prise en charge et de jouer un rôle de choix dans une aventure féline.

Holly secoua la tête avec dépit.

— Vous êtes vraiment tombés de la dernière

pluie, tous les deux. Vous croyez qu'on improvise un nouveau gang comme ça, par enchantement ? Vous ne savez même pas comment vous comporter au milieu de cette jungle urbaine.

Mystik redressa la tête et toisa Holly. Elle commençait à l'agacer. Pourquoi le prenait-elle toujours à rebrousse-poil ?

— Ils étaient cinq contre un, protesta-t-il.

— Je ne veux pas parler de ça, riposta Holly. Je veux parler de tout ce qu'il faut savoir pour survivre en ville. Comment trouver un abri et de quoi manger. Comment éviter les ennuis. Comment...

— Je suis parfaitement capable de trouver de quoi me nourrir, fit Mystik. Je suis un chasseur.

Il savait qu'elle n'en croyait pas un mot, mais il ne pouvait plus revenir en arrière.

— Je suis le plus grand chasseur du monde, affirma-t-il inconsidérément.

— Le plus grand chasseur du monde ? Toi ? Le « chat beauté » ? Tu ne serais même pas capable de dénicher ton petit déjeuner si on te l'apportait sur un plateau.

Mystik ne l'écoutait plus. Aiguillonné par les attaques de Holly, il se mit en route. Guidé par ses sens bien affûtés, il allait lui donner une petite leçon.

— Pourquoi es-tu si méchante avec lui ? demanda Ratatam. Il est évident qu'il ne sait pas chasser, mais ce n'est pas une raison pour...

— Je n'en ai pas terminé, interrompit Holly. Ohé, Mystik ! Reviens ! Seul, tu n'es pas en sécurité ! Où t'en vas-tu comme ça ?

— Chercher mon déjeuner, rugit Mystik sans se retourner.

Puis il marqua un temps d'arrêt, pivota sur lui-même et lança à Holly :

— Et je te ferai savoir que je ne suis pas tombé de la dernière pluie.

Les lampadaires bourdonnaient dans la nuit, les chiens aboyaient, la cité bruissait de mille sons, inconnus, menaçants. Mais par-dessus ce brouhaha perpétuel, à travers ce bombardement de sensations nouvelles, Mystik percevait autre chose, tout près, qui l'attirait.

Il s'enfonça dans l'ombre, à l'écart des lampadaires.

— Reviens par ici ! appela Holly.

Les yeux du chaton s'ajustaient doucement à l'obscurité. Tout au fond d'une ruelle, il aperçut un monceau de papiers et de cartons. Il sentait de la nourriture : salée, huileuse, peut-être des restes de poisson. Mais ce n'est pas ce qui l'avait attiré par là. Sa Conscience était en éveil. Il y avait autre chose...

Il avait l'impression d'être observé, surveillé – pas seulement par Holly et Ratatam. Quelque part, tapie dans l'ombre, une créature ne le quittait pas des yeux. Il laissa libre cours à sa Conscience. Il percevait quelque chose d'étrange, de froid. Pas tout à fait vivant, mais pas encore mort. Il fronça les sourcils. Il se sentit soudain mal à l'aise.

— Mystik, ne joue pas les fortes têtes, insista Holly. C'est dangereux par là ! Reviens tout de suite !

Il se retourna vers elle pour la faire taire. Elle allait tout gâcher ! La tension montait en lui.

Mais lorsqu'il reprit sa progression, il se rendit compte que la sensation étrange qui l'habitait encore un instant auparavant avait disparu. L'avait-il imaginée ? Toute cette histoire de Disparitions commençait-elle à déteindre sur lui ?

Intrigué, il explora les profondeurs des ténèbres à l'aide de ses « antennes ».

Un mouvement.

Cette fois, il en était sûr. Il avait perçu un mouvement. Plus loin, dans la pénombre. Dissimulé derrière le tas d'ordures, quelque chose remuait. C'était petit. Agile.

Une souris.

Ce n'était rien qu'une souris !

Mystik laissa échapper un sourire narquois. Alors, c'était ça sa première proie ? Son premier succès de chasseur de petit déjeuner ? Force était de reconnaître que, cette fois, il ne s'agissait pas d'un jouet. C'était une vraie souris.

La Chasse, avec un « C » majuscule, le Troisième Pouvoir : *Quand tu suis ta proie à la trace, tu dois devenir ta proie.*

Mystik appliqua ce conseil à la lettre. Il se fondit avec sa proie, jusqu'à ne plus faire qu'un avec ses mouvements, puis il fondit sur elle.

SLAM !

D'un seul coup de patte, il l'avait assommée. Puis il la plaqua contre le sol. Ses mâchoires se refermèrent sur le cou de la proie. Ses dents s'enfoncèrent dedans. Cette fois, elle était bel et bien morte.

C'est alors que Mystik eut une réaction de rejet, de dégoût. Pour la première fois de sa vie, il avait tué. Et il avait, du même coup, le sentiment d'avoir tué quelque chose en lui.

« Je suis désolé, songea-t-il, tout tremblant. Je suis désolé. Mais il faut bien que je mange ! *Tu ne prends que ce dont tu as besoin. Rien de plus. C'est ainsi que le monde est fait.* »

Il ramassa doucement le cadavre de sa première victime. Il remercia en silence et croqua son petit déjeuner.

Bizarre. De l'extérieur, elle ressemblait au jouet que le gentleman avait apporté chez la Comtesse, elle en avait même l'odeur. Mais son goût était différent de tout ce qu'il avait mangé auparavant. C'était une nourriture succulente, fraîche et encore tiède. Ce repas d'un genre nouveau lui donna une satisfaction incomparable.

— Tu as vu ça ? s'exclama Ratatam. Tu as vu la façon dont il s'y est pris, Holly ? *Bam !* Il ne lui a donné aucune chance !

— J'ai vu, répondit Holly.

— C'était quelque chose, non ?

Ratatam était aux anges, sous le charme.

— Où as-tu appris à faire ça, Mystik ? Tu m'apprendras ?

Le chaton, un peu gêné, dut avouer la vérité.

— Hum... eh bien... pour tout dire... c'est la première fois que je fais ça.

Holly hocha la tête.

— Je m'en doutais. Cela dit, j'ai vu pire. Bien pire.

Elle lui adressa un clin d'œil complice.

— Tu n'es peut-être pas aussi inutile que tu en as l'air, après tout, monsieur-le-chat-de-luxe.

Mystik n'était pas peu fier. Et il n'aurait plus besoin de s'en remettre aux hommes, désormais. Il était bel et bien un chasseur. Un chat sachant chasser sans son maître. Il possédait le Troisième Pouvoir.

Soudain, les narines de Ratatam se plissèrent de plaisir.

— Hmmm... Quelle est cette odeur ? demanda-t-elle.

Holly et Mystik humèrent l'air. La ruelle faisait un coude et s'enfonçait dans l'obscurité totale, et ce fumet salé, parfumé, provenait d'un endroit invisible, plus avant. Ces effluves rappelèrent à Mystik le caviar du gentleman.

— Ça sent rudement bon, décréta Ratatam. Je vais voir de quoi il s'agit.

— Moi, à ta place, je me méfierais, la mit en garde Holly. Nous sommes beaucoup trop près de la zone contrôlée par le Rouquin. Le risque est trop élevé. Attends d'être dans le parc.

Ratatam se pourléchait les babines.

— Au moins, ce n'est pas son territoire *à elle*..
Et ça sent tellement bon. Allez, viens, Holly, ne
fais pas ta bêcheuse. Il n'y a personne d'autre que
nous. Il n'y aura pas de problème, je t'assure.
Viens, Mystik, allons nous sustenter !

— Tu aimes vraiment cette odeur ? demanda
le chaton, étonné.

— C'est déjà suffisamment dangereux là où
nous sommes, intervint Holly. Moi, je ne fais pas
un pas de plus.

Ratatam se trémoussait de désespoir.

— Rabat-joie, marmotta-t-elle. Holly sait tout
mieux que tout le monde. Toujours et en toute
circonstance...

— C'est tout à fait vrai, confirma cette dernière.

— Eh bien, moi, je te parie qu'on ne trouvera
rien à manger dans le parc. Et tu seras bien avan-
cée.

— Peut-être pas, mais je serai toujours en vie.

Ratatam avait vu juste. Le parc avait déjà été
« ratissé », « nettoyé ». Ils ne trouvèrent rien à se
mettre sous la dent. Les deux amies revinrent
toujours aussi affamées de leur excursion. Quant
à Mystik, il poursuivait sa digestion, repu.

14

QUATRE POUVOIRS ET DIX COMMANDEMENTS

Cette nuit-là, dans ses rêves, Mystik marchait de nouveau le long du fleuve, en Mésopotamie, sa terre natale. Les palmes des dattiers oscillaient mollement dans la touffeur de la brise. L'air nocturne embaumait la cannelle.

Mystik tourna les yeux vers la surface du fleuve, où se reflétaient la lune et les étoiles, si brillantes, si grosses, qu'il aurait presque pu mordre dedans.

— Ce fleuve s'appelle le Tigre, dit Calife. Un jour, je t'en dirai plus à son sujet, car le Tigre est riche d'enseignements. Mais ce soir, nous devons pratiquer le Quatrième Pouvoir : le Temps ralenti.

L'espace d'un instant, le vieux chat sembla scintiller au clair de lune. Mystik cligna des yeux. Le scintillement cessa aussitôt.

— Le Temps ralenti, expliqua Calife, fonctionne ainsi : je peux me déplacer plus vite que tu ne me vois bouger.

Les yeux du chaton s'agrandirent. Noé lui avait parlé du Temps ralenti. Et aussi du Cercle en mouvement et de la Marche dans l'ombre.

— Apprends-moi, Calife.

— Le Temps ralenti commence par l'apprentissage de la respiration. Compte des temps chaque fois que tu inspires et que tu expires, comme si tu battais la mesure. Inspire, expire, inspire, expire. Tu vois ? Toi, tu respires par petites saccades, comme la plupart des chats. En d'autres termes, tu ne prends pas le temps de respirer.

Quelle révélation ! Mystik en eut le souffle coupé...

— Inspire plus profondément, poursuivit

Calife. Oui. Emplis complètement tes poumons. Bien. Maintenant, compte. Inspire-deux-trois, expire-deux-trois, inspire-deux-trois, expire-deux-trois.

Ils s'assirent au bord du Tigre, dont la surface ondoyait sous la brise. Puis ils ralentirent leur respiration, qui se fit de plus en plus profonde...

— Encore plus lentement, dit Calife. Inspire-deux-trois-quatre, expire-deux-trois-quatre. Très bien. Ralentis le cours de tes pensées. Une fois que tu auras pénétré dans le Temps ralenti, tout te semblera ralentir autour de toi. Mais toi, tu seras rapide, plus vif que l'éclair.

Mystik leva les yeux vers le ciel enluminé de constellations. Il contemplait des distances infinies d'espace et de temps. Une énergie étrange palpitait dans ses veines. Son corps lui paraissait léger, aussi léger que la lumière.

— Plus tu ralentis, plus tu es rapide, dit encore Calife. Tu le sens ? Ra... len... tis...

L'énergie bouillonnait à l'intérieur du ventre de Mystik. La voix de Calife donnait l'impression de s'étirer, de se fondre, d'irradier dans toutes les directions.

— Ne t'inquiète pas, mon fils. Voilà ce qu'est

le Temps ralenti. Maintenant, mets en pratique ce nouveau talent !

Le lendemain soir, Mystik, Holly et Ratatam firent encore chou blanc. Leur estomac tournait sur lui-même comme le tambour d'une machine à laver.

— L'heure est grave, fit Holly. Il faut réagir, et j'ai un plan.

— Bravo ! s'écria Ratatam en battant des coussinets à tout rompre.

Holly plissa un œil et se tourna vers Mystik.

— Mais il faut que nous ayons l'air... normal. Dis donc, monsieur-le-chat-de-luxe, tu as l'intention de faire ta toilette un jour ?

Mystik secoua la tête énergiquement.

— À la maison, ma mère insistait toujours pour me laver et j'avais horreur de ça. Maintenant que je suis libre, pas question de ça !

— Eh bien, salut l'ami ! Tu peux prendre tes cliques et tes claques. Parce que tu vas nous faire remarquer. Non seulement tu es sale, mais tu sens mauvais. Alors tu vas attirer l'attention des humains, et mon beau plan va tomber à l'eau. Ce qui ne te ferait pas de mal...

Ratatam réprima péniblement un gloussement.

— Et puis, si tu es, comme tu l'affirmes, un bleu d'Auvergne, de travail, de méthylène, que sais-je encore, tu te dois de porter haut l'étendard de ta race, comme disait mon grand-père. Blague à part, ou tu fais ta toilette ou tu tailles la zone.

Mystik resta coi. Force était de reconnaître que cette chatte avait du chien. Impossible de lui résister.

— D'accord, d'accord... répondit-il, penaud.

Puis il se lécha vivement les pattes et le poitrail.

— Voilà.

Holly leva les yeux au ciel.

— Mon pauvre ami ! Tu es encore tout crotté. Si tu veux que je te tire d'affaire, tu dois en passer par mes dix commandements :

1) De mes ennemis je me méfierai.

2) Mes amis je respecterai.

3) Holly j'écouterai.

4) Ma toilette je ferai chaque matin.

5) De mes amis jamais je ne me moquerai.

6) Ma toilette je ferai chaque après-midi.

7) À Holly j'obéirai.

8) Mes amis jamais je n'abandonnerai.

9) Ma toilette je ferai chaque soir.

10) Devant le monde toujours propre je me présenterai.

Ratatam entama une danse du scalp.

— Bravo ! Bravo ! Tu es aussi fascinante que Chaton Heston dans *Les Dix Commandements*.

Dès qu'elle avait un moment, Ratatam se glissait à l'intérieur d'un cinéma. C'est ainsi qu'elle connaissait sur le bout des pattes les grands classiques hollywoodiens : *Les Aristochats, L'Espion aux pattes de velours, Stuart Little,* l'histoire d'une souris maligne aux prises avec des chats sachant chasser sans leur maître.

— Nous sommes les plus nobles des chats, marmonna Mystik, la langue pleine de boue.

Mais cette affirmation sonnait le creux au cœur de la ville. Quel membre de sa noble famille viendrait en aide à un étranger ? Le vieux Noé, sans doute, mais qui d'autre ? Alors, qui était le plus noble ? Le bleu de Mésopotamie, ou cette chatte toutes griffes dehors qui lui avait sauvé la vie ?

Cette question le tarauderait longtemps. La réponse bouleverserait toute sa vision du monde.

Rien moins.

Il décida donc d'en remettre l'examen au lendemain et entama un débarbouillage en règle.

Mais il fut une fois encore trahi par son inexpérience. Au bout d'une demi-heure, il était certes délesté d'un kilo de crasse, mais son pelage demeurait tout gris. Il avait l'air tout à fait ordinaire. Il ne ressemblait plus à un bleu de Mésopotamie, ce qui n'était pas pour lui déplaire.

— Et maintenant, le collier, dit Holly. Tu ne peux pas passer pour un chat de gouttière avec un collier.

Mystik n'avait aucune objection sur ce point. Il avait toujours détesté ce collier qui lui enserrait le cou. Holly se mit à mordiller l'objet avec frénésie. Il ne l'aurait accepté de personne d'autre qu'elle. Mais elle lui avait sauvé la vie et il avait confiance en elle.

— Voilà, c'est fait.

Elle recula et Mystik secoua les épaules pour faire tomber le joug honni, qui glissa à travers les barres d'une grille métallique et disparut dans les égouts de la ville. Désormais, Mystik était un chat de gouttière comme les autres, dépourvu de toute attache, sans famille, sans abri.

— Parfait, dit Holly. Maintenant, tu es des

nôtres. Si nous tombons sur eux, c'est ce que tu leur diras.

— Si nous tombons sur qui ? s'enquit le chaton.

Mais il connaissait déjà la réponse à sa question. Avec un sourire en coin, il lança :

— Pas les chats de la grande méchante El...

— De grâce ! s'écria Ratatam. Tu ne te rends pas compte de ce que tu dis.

— Elle a raison. Ce n'est pas une plaisanterie, fit Holly avec le plus grand sérieux. Nous devons passer tout près de son territoire pour gagner le parc. À côté d'elle, le Rouquin et son gang sont des enfants de chœur...

Le sourire de Mystik se figea.

Quelques instants plus tard, le trio s'engageait dans une avenue éclairée de faisceaux orangés, livrée au tumulte des chiens qui se croisaient à vive allure, sourds à leurs propres aboiements.

Ils parvinrent bientôt à un carrefour et Holly feula :

— Cachez-vous !

Tous trois n'eurent que le temps de se glisser dans un renfoncement, à l'abri des regards. Une colonne de chats patrouillait de l'autre côté de la chaussée, sur le trottoir d'en face. Holly avait raison : ces chats étaient sur le sentier de la guerre, et ils semblaient bien plus durs à cuire que celui qui avait presque tué Mystik.

15

LES SEPT MERCENAIRES

Au nombre de sept, ils déambulaient tels des caïds, comme si le monde entier leur appartenait. Les autres chats déguerpissaient dès qu'ils les apercevaient. À la tête de la colonne se trouvait un matou baraqué doté d'un pelage à rayures. Mystik discerna plusieurs cicatrices sur son visage.

— C'est Rasoir, murmura Ratatam. Un de *ses* lieutenants.

Une fois la « patrouille » disparue, Holly dit enfin :

— Allons-y. La voie est libre.

— Ce carrefour marque la frontière, expliqua Ratatam. Ne le traverse jamais, Mystik.

— Jamais, assura le chaton.

Holly les conduisit jusqu'à une grande place où trônaient quatre immenses statues de lions, dont chacune des pattes était de la taille d'un homme. Le bronze des statues luisait sous les réverbères et faisait saillir leurs muscles davantage encore.

— Voilà ce que nous devrions être, murmura Ratatam.

— Ce que nous *pourrions* être, corrigea Mystik.

— Nous ne pouvons rôder par ici que la nuit, mit en garde Holly. Pendant la journée, il y a trop de mouvement : des gens, des autos, des chiens. Mais au moins nous sommes en terrain neutre : les gangs ne s'y intéressent pas. Ce qui veut dire qu'ils laissent les oiseaux tranquilles.

Mystik leva de nouveau les yeux vers les statues. Elles le fascinaient tellement qu'il n'avait pas remarqué que cette place fourmillait de pigeons bien dodus. Il y en avait des dizaines, qui picoraient en roucoulant au clair de lune.

— Alors, monsieur-le-chasseur, explique-nous comment tu t'y prendrais pour capturer un de ces volatiles ? demanda Holly.

— Que veux-tu dire ? interrogea Mystik qui craignait encore une moquerie.

Il n'avait jamais essayé de chasser un oiseau. Beaucoup trop difficile.

— Je veux dire : rapporte-nous un de ces pigeons !

Cela sonnait comme un défi. Il scruta les yeux couleur moutarde. Elle n'avait pas l'air de plaisanter. Elle était sérieuse.

— Tope-là ! répondit-il. Regarde-moi faire.

— Holly ! intervint Ratatam. Ce n'est pas juste. Ne fais pas attention à elle, Mystik. Elle fait encore sa mauvaise.

— Mais j'insiste, répliqua le chaton d'un air matois, sans quitter Holly des yeux.

D'une démarche furtive, onduleuse, il avança lentement vers les oiseaux. Il en choisit un et se concentra sur lui de toute la puissance de sa Conscience. Il l'observait avec ses yeux, ses oreilles et ses moustaches. Aucun des mouvements du pigeon ne pourrait le surprendre. Il ne faisait plus qu'un avec sa proie.

Il rampa vers elle, aussi imperceptible que Calife en personne. Il n'existait plus rien au monde que Mystik et sa proie.

Soudain, le chaton bondit...

... et une centaine de paires d'ailes s'abattirent sur lui, des centaines de griffes acérées le lacérèrent et autant de becs aussi coupants que le silex vinrent se planter dans son pelage.

Pris de panique, Mystik parvint difficilement à s'extraire de ce déluge de plumes en furie. Il ne s'attendait pas à pareille férocité. Tremblant des coussinets jusqu'à la queue, il vint se réfugier derrière Holly et Ratatam, puis observa de loin la meute se calmer.

— Tu n'es pas blessé, Mystik ? s'enquit Ratatam. Je savais bien que ça tournerait mal, Holly. Aucun d'entre nous n'y parviendrait !

— Exactement, répondit Holly. C'est ce qu'il m'arrive chaque fois que je tente ma chance. C'est pourquoi les gangs ne se fatiguent même pas à venir traîner dans ces parages. Mais j'ai toujours pensé que, si nous trouvions un moyen d'attraper quelques-uns de ces pigeons, nous n'aurions plus jamais faim.

— C'est impossible, fit Mystik, pantelant.

Son cœur battait la chamade.

— Impossible, répéta-t-il en secouant la tête.

Holly hocha la tête.

— Pour un chat, oui. Et je sais que d'ordinaire nous chassons seuls. Mais imagine que nous soyons trois... et que nous chassions... *ensemble*...

— Ensemble ? s'étonna Mystik.

— ... Je crois que ça fonctionnerait, conclut Holly. Qu'en dites-vous ?

Mystik réfléchit un long moment. Il ne fallut pas aussi longtemps à Ratatam pour déclarer sans ambages :

— Moi, ça ne me dit rien qui vaille.

Elle se cacha la tête entre les pattes et fit mine de s'endormir.

— Réveillez-moi quand il sera temps de rentrer au bercail.

— Oui, je pense que ça marcherait, décida Mystik.

— En tout cas, c'est le plan que je propose.

Pendant que Ratatam sommeillait, Holly et Mystik passèrent une bonne partie de la nuit à peaufiner leur plan. Il n'y avait rien d'autre pour les distraire que le clapotis d'une fontaine et le roucoulement paisible des pigeons assoupis.

Et cette nuit-là, Mystik ressentit quelque chose qu'il n'avait jamais connu. Une sensation nouvelle.

Celle de ne plus être seul au monde.

Aux premiers rayons du soleil, le plan était au point. Holly réveilla Ratatam – à grand-peine, car celle-ci avait besoin de sommeil, disait-elle, pour conserver l'éclat de son teint. Puis elle lui expliqua le rôle qu'elle devrait jouer.

— Moi ? ! s'exclama Ratatam, épouvantée. Vous voulez que *moi*, je fasse *ça* ? Vous n'y pensez pas ! J'espère au moins que nous ferons des répétitions...

— Pas de répétition, non, répliqua Holly. Mais si tu préfères mon rôle, ou celui de Mystik, libre à toi...

Les yeux de Ratatam faillirent lui sortir de la tête.

— Oh, sûrement pas ! *Miaooouuuuhhh là là... !*

— Nous ne pouvons pas y arriver sans toi, Tam, intervint Mystik. Impossible.

— Vraiment, vous êtes sûrs ?

Holly vint se placer en face de sa fidèle amie.

— Bien sûr que nous en sommes sûrs. Et si tu

le fais, je te promets que je ne prononcerai plus jamais *son* nom.

Cette promesse parut rasséréner Ratatam.

— Ah, dans ce cas... eh bien... qu'attendons-nous pour passer à l'action ?

Sur la place qui rougeoyait dans l'aurore, chacun prit la position qui lui était dévolue. Mystik avança lentement vers les pigeons depuis un coin, Holly depuis un autre, Ratatam se tenait devant eux, juste à l'arrière du rassemblement de volatiles.

Au signal de Holly, Ratatam se précipita vers les pigeons. Une centaine d'oiseaux se mirent à agiter les ailes en même temps, véritable menace pour l'envahisseur, qui tremblait de peur. Mais elle n'en mena pas moins sa mission à bien, déterminée à ne pas arrêter sa course avant d'avoir fendu la masse ailée, la divisant en deux parties, tel Moïse se frayant un passage dans les eaux de la mer Rouge. Derrière, chacun de son côté, Holly et Mystik fondirent sur les pigeons.

La manœuvre semblait facile. Ratatam avait créé une diversion. Les pigeons, distraits, ne verraient pas arriver leurs prédateurs.

C'était le plan.

Mais dès l'instant où Mystik, dont les veines

bouillonnaient, chauffées à blanc par l'instinct de la chasse, plongea sur les oiseaux, la machine pourtant si bien huilée s'enraya. Il restait en effet trop de pigeons massés les uns contre les autres. Mystik et Holly ne pouvaient pénétrer dans cet attroupement mouvant pour se saisir de l'un d'entre eux.

C'est alors que les oiseaux se retournèrent vers Holly, griffes tendues, claquant du bec. Ils la scrutaient de leurs petits yeux ronds, aux pupilles dilatées.

Elle ne bougea pas. Elle tenta de tenir sa position, sans flancher. Mais ils ne tardèrent pas à l'encercler et à lui décocher de petits coups de leur bec pointu.

Cette fois, elle se trouvait dans une situation inextricable. Prise au piège, sans aucun moyen de s'enfuir. Les pigeons la griffaient, la mordaient jusqu'au sang. Mystik vit soudain de la peur panique dans les yeux moutarde. De l'autre côté de la place, Ratatam assistait à ce spectacle cruel sans pouvoir intervenir. Vite, il fallait qu'il fasse quelque chose.

Vite !

Le Temps ralenti, le Quatrième Pouvoir : *Une fois que tu auras pénétré dans le Temps ralenti, tout te semblera ralentir autour de toi. Mais tu seras rapide, plus rapide que n'importe quoi, plus vif que l'éclair.*

Ces belles paroles fonctionnaient-elles dans le monde réel ? Mystik inspira-deux-trois-quatre, expira-deux-trois-quatre...

Et le battement des ailes... ralentit... encore... et encore...

Mystik pouvait observer chaque battement, chaque griffe, chaque bec, comme dans un film qui passerait au ralenti. Mais lui allait être plus vif que l'éclair. Il s'enfonça à l'intérieur de la masse de pigeons, se frayant un chemin à travers le chaos, faisant en sorte qu'ils s'écartent l'espace d'un court instant.

— Holly ! hurla-t-il.

Elle leva les yeux vers lui. Il n'en fallut pas davantage pour effacer l'expression de terreur qui les habitait. Elle s'arracha à l'emprise des oiseaux et prit la fuite à travers l'ouverture pratiquée par Mystik. Elle alla rejoindre Ratatam, en sécurité.

L'épreuve passée, Mystik se remit à respirer normalement et s'extirpa du Temps ralenti. Le Quatrième Pouvoir avait fonctionné ! À merveille !

— Est-ce qu'ils t'ont fait très mal, Holly ? demanda-t-il, tout essoufflé.

— Oh, je m'en tirerai avec quelques égratignures, répondit-elle.

Mais elle en tremblait encore.

— Merci de m'avoir tirée de là, ajouta-t-elle d'une voix plus posée.

— Pas de problème.

Ratatam ne l'entendait pas de cette oreille.

— Il t'a sauvé la vie, rien moins !

— Eh bien, nous sommes quittes, maintenant, maugréa Holly.

— Je ne l'ai pas fait pour ça, crut bon de préciser Mystik.

Holly prenait soin de ne pas croiser son regard mais il lui sembla bien, l'espace d'une seconde, avoir entr'aperçu un sourire.

— Venez, allons-y, dit-elle en se dirigeant vers l'avenue par laquelle ils étaient arrivés la veille au soir. Nous n'avons pas une minute à perdre. Je ne veux pas être ici en plein jour. Trop dangereux.

— Tu ne veux pas que nous essayions encore une fois ? interrogea Mystik.

Il savait qu'elle était encore sous le choc – le pelage ébouriffé et ensanglanté de Holly témoignait de ce qu'elle venait de subir – mais cela l'aiderait peut-être de tenter de nouveau sa chance, de ne pas s'avouer vaincue.

— À quoi bon ? répondit-elle. Mon plan n'a pas marché. C'était une idée stupide.

— Non, pas du tout, persista Mystik en la rejoignant. Et tu as fait tout ce que tu pouvais...

Ratatam, qui leur filait le train, s'écria :

— Et moi, ai-je bien joué mon rôle, dis, Mystik ?

— Tu as été superbe. Toutes les deux, vous êtes très courageuses.

— J'ai été superbe ! répéta Ratatam en se rengorgeant.

Holly, pour sa part, ne répondit rien.

— C'est juste qu'ils étaient trop nombreux, cette fois-ci, reprit le chaton. Mais ça ne signifie pas que c'est impossible.

Tout en poursuivant sa route, Holly se prit à réfléchir.

— Oui, peut-être. Peut-être que si nous essayions d'une autre manière... hum...

Chemin faisant, ils élaborèrent un autre plan. La ville commençait à reprendre vie. Mystik reconnaissait à peine les ruelles qu'il avait parcourues la veille, tant elles paraissaient différentes de jour.

16

Nouvelle disparition

— J'ai toujours faim, constata Ratatam avec dépit.

Ses narines se mirent aussitôt en quête de quelque fumet ragoûtant. Elle devait posséder un sixième sens, au moins pour les odeurs, car elle repéra aussitôt un effluve digne d'intérêt.

— Attendez ! Je reconnais cette odeur de poisson. Celle d'hier soir.

Elle s'immobilisa au coin de la ruelle dans

laquelle Mystik avait attrapé la souris. Même de jour, elle semblait s'enfoncer dans les ténèbres.

— Allez, Tam, appela Holly par-dessus son épaule. Ne nous retarde pas.

— Mais c'est encore cette odeur merveilleuse, et nous n'avons rien trouvé hier soir, et la chasse n'a rien donné, et j'ai faim.

— Nous ne nous arrêterons pas ici. Si tu vas par là, tu iras seule, prévint Holly.

Elle et Mystik reprirent leur marche, occupés à examiner les failles possibles de leur nouveau plan. Tenaillée par la faim, Ratatam resta en arrière.

— Tant pis pour vous ! leur lança-t-elle. Je vous retrouverai tout à l'heure.

Le lendemain, Ratatam n'était toujours pas de retour.

Holly avait commencé par en rire.

— Cette gourmande insatiable a dû banqueter toute la nuit et maintenant elle digère dans un coin !

Mais elle n'avait pas tardé à changer de ton.

Bientôt, elle et Mystik s'étaient mis en quête de leur amie. Ils étaient retournés dans la ruelle à l'entrée de laquelle ils l'avaient quittée. Ils avaient pris le virage à mi-parcours, à partir duquel la ruelle s'enfonçait dans l'obscurité, mais ils en étaient ressortis à l'autre extrémité sans avoir trouvé aucune trace de Ratatam.

— La première fois que nous sommes venus ici, j'ai ressenti un malaise étrange, se souvint Mystik.

— Oui, moi aussi, répondit Holly.

Cette dernière avait alors entraîné son compagnon sur le territoire du gang du Rouquin.

— Ils jouent franc jeu, indiqua-t-elle à Mystik. Si Tam a croisé leur chemin, s'ils savent qu'il lui est arrivé quelque chose, ils nous le diront.

Mais aucun des membres de la bande du Rouquin n'avait aperçu Ratatam. Elle fut tout aussi introuvable dans le parc. Il pleuvait des cordes et Mystik et Holly dégoulinaient. Certes, ils avaient trouvé quelques miettes de nourriture dans le parc, mais c'est une autre envie qui les animait désormais. Ils devaient retrouver leur amie.

Ils avaient repris le chemin des ruelles fréquentées par Holly lorsqu'ils croisèrent un matou au pelage rayé. Mystik le reconnut immédiatement aux cicatrices qui striaient son visage. Aussitôt, son propre pelage se hérissa. Mais le chat zébré

adressa un sourire à Holly, de ses dents bien
blanches et bien aiguisées.

— Salut, Rasoir.

— Holly... ça fait plaisir de te voir. Où est cette
chatte miteuse avec laquelle tu te promènes tout
le temps ?

— Tam ? Je ne sais pas... Elle a... Tu l'as aperçue ?

Rasoir secoua la tête.

— Non, mais elle ne s'est pas aventurée sur le
territoire d'Ellie-la-Désossée. J'en suis certain.

— Comment peux-tu en être si sûr ?

Rasoir se lécha les pattes fièrement.

— Parce que c'est mon boulot, ma p'tite
demoiselle. Et celui-là, qui est-ce ? demanda-t-il
en désignant Mystik de sa patte toute lustrée.

Il ne lui avait même pas fait l'aumône d'un
regard, comme si cet étranger n'en valait pas la
peine.

— Je m'appelle Mystik, répondit le chaton.

La queue de Rasoir battit mollement l'air.

— Je ne te causais pas à toi, lâcha-t-il avec
mépris.

Mystik opta pour un silence vexé, mais prudent.

— T'inquiète, Rasoir, répliqua Holly en

s'efforçant de prendre son ton le plus rauque. C'est l'un des nôtres. Un animal domestique qui s'est perdu en chemin.

Rasoir renifla bruyamment.

— Pourquoi perds-tu ton temps avec un chat d'homme ? Tu ferais mieux de rejoindre notre gang. Tu sais bien qu'Ellie et moi gagnerons à la fin. Cette ville lui appartient.

Holly sourit, mais ne répondit rien.

— Tu serais à l'abri d'une Disparition, ajouta Rasoir. Ellie protège les siens.

— Merci, Rasoir, mais tu sais que je n'ai jamais voulu faire partie d'un gang, et il faut que je retrouve Tam.

Elle fit mine de tourner les talons, mais Rasoir s'interposa, jouant de sa musculature avantageuse.

— Allez, quoi, Holly ! Tu m'as toujours plu, tu le sais.

Holly continuait de sourire, mais Mystik voyait bien qu'elle cherchait à se défaire de l'importun.

— Tu pourrais être quelqu'un, dans un gang, dit Rasoir, se rapprochant encore. Tu pourrais être importante. *Je* pourrais te rendre importante.

— Je ne veux pas...

— Allez, mignonne, insista Rasoir. Je te présenterai la Patronne. Je suis l'un de ses adjoints de choc, maintenant.

Une lueur de crainte traversa les yeux moutarde de Holly. Mystik la détecta.

— Elle vous a dit que ça ne l'intéressait pas, lança-t-il, sans réfléchir.

Rasoir se tourna vers lui. Sur ses joues, les cicatrices se tortillaient comme des serpents.

— Je t'ai prévenu... gronda-t-il.

Et il lui décocha un uppercut en béton. Le pauvre Mystik exécuta malgré lui un saut périlleux arrière et retomba lourdement dans une flaque, sonné. Il aurait voulu se relever et frapper à son tour le méchant Rasoir, mais ses jambes étaient toutes cotonneuses et le monde tournoyait autour de lui.

— Que je ne te retrouve pas sur mon chemin, microbe ! feula Rasoir.

Mystik ne trouva rien à répondre. Il avait suffi d'un coup pour le mettre K.-O. Et il ne l'avait même pas vu venir.

Monsieur Muscle se tourna de nouveau vers Holly.

— Quand tu en auras assez de perdre ton temps avec des *losers* et que tu voudras savoir à quoi ressemble un vrai chat, tu n'auras qu'à venir me trouver.

Il la planta là et partit en roulant des mécaniques.

— Mystik, ça va ? demanda-t-elle lorsqu'il se fut éloigné. C'était courageux, mais stupide de te dresser contre lui. Tu n'avais aucune chance.

Un filet de sang coulait de la bouche du chaton.

— Un jour, je le battrai.

— Tu es tombé sur la tête ! Commence par apprendre à te servir de ton cerveau. Le mieux à faire, c'est de rester à l'écart de ce genre d'individu.

— Je le battrai, promit Mystik.

Quiconque avait laissé ces balafres sur le visage de l'« individu » en question y était parvenu. Alors Mystik en était capable.

— En tout cas, tu ne battras personne aujourd'hui, monsieur-le-chat-de-luxe. Allez, viens, nous devons retrouver Tam.

— Mais nous avons cherché partout...

Holly secoua la tête.

— Non, pas partout. Nous n'avons pas visité le territoire d'Ellie-la-Désossée.

Mystik, qui léchait ses blessures, faillit s'étrangler.

— Mais... mais... Rasoir a dit que...

— Il n'a rien dit du tout. Il a dit qu'Ellie veillait sur ses ouailles, pas qu'elle protégeait mon amie. Et crois-en mon expérience, on ne peut pas faire confiance à Rasoir. C'est un filou. Alors je sais que cette expédition en territoire ennemi sera dangereuse, mais il faut que j'y aille. Libre à toi de m'accompagner ou non.

Mystik ne répondit rien. Il ne pensait pas qu'ils trouveraient Ratatam de ce côté-là de la ville. La dernière fois qu'ils l'avaient vue, elle ne se trouvait pas du tout à cet endroit. Mais si l'on en croit un proverbe anglais, c'est la curiosité qui tue le chat. Et Mystik était curieux comme pas un. Il voulait savoir si tout ce qu'on racontait au sujet d'Ellie-la-Désossée, la chatte blanche capable d'apparaître n'importe où n'importe quand, comme sortie de nulle part, était vrai ou inventé de toutes pièces.

— Je suis partant, annonça-t-il enfin.

Sans un mot, d'un signe de tête, Holly lui indiqua la direction à suivre. Ils s'enfoncèrent dans une partie de la ville que Mystik n'avait aperçue que de très loin, depuis le sommet de la colline.

17
QUE LA FORCE SOIT AVEC TOI !

Les rues étaient plus larges, les immeubles plus hauts. L'un d'entre eux, aussi élevé que la colline au sommet de laquelle se trouvait la maison de la Comtesse, scintillait de mille lumières. Il était transparent, tout en vitrines...

Rien que du verre.

Derrière chaque vitrine, on apercevait quelque chose de différent.

Mystik jeta un coup d'œil à l'intérieur. Il

découvrit des animaux, bien en ordre et dispo-sés sur des étagères de verre. De petites souris au pelage soyeux, des lapins blancs cotonneux, des oiseaux multicolores.

Bien que leurs yeux soient ouverts, ils étaient immobiles et muets. On aurait dit qu'ils avaient été pétrifiés, statufiés, toujours sur le point de remuer mais incapables du moindre mouvement.

— Eh bien, quoi ? miaula Holly. Tu n'as jamais vu un magasin de jouets ?

— Des jouets ? Qu'est-ce que c'est ?

— Les jouets ? Oh, ce n'est pas très intéres-sant. C'est pour amuser les enfants des hommes.

Elle reprit sa progression.

— Allons, avance ! Nous ne pouvons pas traî-ner trop longtemps sur le territoire d'Ellie.

Mystik s'arracha à sa contemplation pour la suivre, mais il fut soudain envahi par cette étrange sensation qu'il avait éprouvée dans la ruelle où il avait attrapé la souris. Quelque part, tapie dans l'ombre, une créature ne le quittait pas des yeux.

Il laissa de nouveau libre cours à sa Conscience. Il percevait quelque chose d'étrange, de froid. Pas tout à fait vivant, mais pas encore mort.

Cette fois, sa Conscience le conduisit jusqu'à une pile de cartons, à l'entrée du magasin de jouets. L'un des cartons était tombé de la pile et s'était entrouvert. Mystik approcha le museau.

— Je vais très bien, merci s'il vous plaît, fit une voix minuscule à l'intérieur du carton.

Mystik perçut un mouvement et, du carton, sortit... un chat.

À première vue, ce chat ressemblait à Ratatam. Même pelage chocolat, même allure échevelée, mais il n'avait pas l'air réel.

Il souriait d'un sourire figé.

Il parlait, mais ce qu'il disait n'avait pas de sens.

— Heureux, heureux, heureux, dit le chat.

— C'est Tam ! s'écria Mystik. Mais que lui est-il arrivé ?

Holly approcha à son tour et renifla le chat.

— Peuh ! Le pelage de Tam n'a jamais été aussi net.

— Mais si, c'est elle ! Je te jure ! insista Mystik.

Cette fois, Holly se mit dans une colère noire.

— Arrête, espèce d'imbécile. Ne sais-tu pas faire la différence entre un jouet et Tam ? Ce n'est pas Tam. Tam a disparu. Dis-pa-ru. C'était une

183

gourmande qui aura péri par où elle avait péché. Elle ne reviendra pas. Jamais ! Tu comprends, ça, gosse de riche ?

Mystik ne l'avait jamais vue si contrariée.

— Jooyyyyeuuuxx Nooooëëëlllll ! Mmmm... hi...hi...hi... aouuuu ! ! s'exclama le jouet.

Holly ferma les yeux.

— Non, elle n'est pas ici. Elle n'est nulle part. Elle a disparu.

Elle secoua la tête et ajouta :

— Je suis désolée de m'être emportée. C'est juste que... ce n'est pas Tam.

Mystik contempla de nouveau le jouet. Elle avait raison. Tam avait disparu, mais ce n'était pas elle. Ce jouet lui ressemblait, rien de plus. Il n'était même pas vivant.

Il n'était même pas mort.

— Je n'aime pas ces jouets, dit Mystik. Qui les préférerait à un vrai chat ?

— Détrompe-toi, rétorqua Holly. Les gens préfèrent les faux chats aux vrais. Ils n'ont pas besoin de s'en occuper. Les jouets font ce qu'on veut. Ils sont toujours gentils-mignons. Ils ne griffent jamais et ne se suspendent pas aux rideaux. Pas comme nous.

Elle eut un sourire malicieux.

— Pas comme toi, en tout cas... Parce que moi, je n'ai jamais eu l'occasion de me faire les griffes sur des rideaux. Allez, il est temps de filer avant qu'Ellie-la-Désossée nous tombe sur le poil.

La mention des rideaux renvoya Mystik à un passé récent, mais déjà lointain, qui devenait de plus en plus flou à mesure que les jours succédaient aux jours.

En ce moment précis, il aurait été prêt à donner n'importe quoi pour être de nouveau auprès des siens. Il entendit alors un rugissement étouffé, celui d'un chien, et il sentit un poids s'installer au creux de son estomac.

— Tu en fais une tête, gosse de riche ! Qu'est-ce qui t'arrive ? Allez, arrêtons-nous ici.

Elle pointa une patte vers une ruelle obscure.

— Nous serons plus en sécurité ici que dans les rues éclairées. Au matin, nous reprendrons les recherches.

Elle adressa un sourire à Mystik, mais il ne parvint pas à le lui rendre.

— Un coup de blues ? Si tu veux rentrer chez toi, tu peux toujours, tu sais ?

— Non, répondit tristement le chaton. Je devais revenir avec un chien, pour sauver ma famille du gentleman et de ses chats odieux, et j'ai échoué. Je suis resté là, debout devant ces monstres et je n'ai pas réussi.

Holly posa une patte sur Mystik.

— T'inquiète, c'est pas notre faute. Les chiens sont idiots et en plus ils nous effraient. Je n'ai jamais connu de chat qui ait réussi à leur parler.

Mystik soupira.

Calife en était capable. Il le savait. Mais il n'était ni Calife ni même un bleu de Mésopotamie digne de ce nom. Il ne valait pas mieux que le faux chat sorti de son carton.

Comme si elle devinait ses pensées, Holly lui glissa à l'oreille :

— Le monde entier t'appartient maintenant, monsieur l'aventurier. Même le territoire d'Ellie-la-Désossée. Maintenant, dormons. Demain est un autre jour. Tu ne sais pas ce qu'il nous réserve.

Ils s'installèrent côte à côte dans la pénombre de la ruelle. Il n'y avait plus de barrière invisible entre eux. Il n'y en avait plus depuis un bon moment déjà.

Mystik rêvait.

Il marchait de nouveau le long du fleuve, en Mésopotamie, sa terre natale. Les palmes des dattiers oscillaient mollement dans la touffeur de la brise, qui charriait des effluves de cannelle. Le ciel était constellé d'étoiles.

Calife avançait au côté de Mystik, comme luminescent au cœur du Temps ralenti. Le chaton inspirait-deux-trois-quatre et ralentissait son rythme, lui aussi, jusqu'à sentir l'énergie palpiter en lui. C'est alors seulement qu'il fut en mesure de comprendre comment Calife se déplaçait.

C'était différent de tout ce qu'il avait imaginé. Il se dégage une certaine grâce de tous les chats, mais Calife semblait être une source, un fleuve d'énergie. Comme le Tigre, il suivait le tracé de son lit, mais se transformait à vue d'œil au gré des caprices de son cours.

— Ton corps, expliqua le vieux chat, est seulement une partie de toi-même. Tu es davantage que ton corps. Tu peux lui faire faire ce que tu veux, si tu sais comment. Tu peux esquiver tous les coups, frapper n'importe quel ennemi, remporter n'importe quel combat. Je te montrerai comment. C'est le Cinquième Pouvoir, celui qu'on appelle le Cercle en mouvement.

Son corps gris-bleu aux reflets argentés adopta alors des formes aussi étranges que celles des constellations qui tapissaient la voûte céleste.

Pour commencer, il prit l'apparence d'une arche de velours. Mystik tenta de l'imiter, s'arc-boutant au maximum de ses possibilités... et même encore un peu plus.

Ensuite, l'arche s'incurva sur elle-même pour former un huit tout de fluidité. Mystik se contorsionna à son tour, mais quel effort ! C'était douloureux – une douleur brûlante.

Il découvrit du même coup une sensation nouvelle. L'énergie accumulée à l'intérieur de son ventre se transformait en un pouvoir inconnu jusqu'alors.

Le huit décrit par le corps de Calife devint un cercle, un Cercle en mouvement qui n'en finissait plus de rouler sur lui-même. Mystik inspira fortement et suivit son ancêtre sur la voie de la connaissance de lui-même. Son corps tout entier fut secoué de soubresauts. Mais le nouveau pouvoir gonflait en lui, se renforçait, tel un courant d'énergie en liberté, aux ressources infinies.

Un Cercle en mouvement, un cercle de mouvement, semblable à Calife.

Mystik avait l'impression d'être luminescent.

— Bien, dit Calife. Maintenant, la dernière étape. Ouvre le Cercle. Laisse libre cours à l'énergie qui vibre en toi, laisse-la s'ouvrir sur l'extérieur. Sers-toi de cette dynamique pour diriger la force. Comme ceci.

La patte de Calife sortit de nulle part, à quelques millimètres du nez de Mystik. Le chaton ne l'avait pas vue venir. Ses yeux s'agrandirent. S'il parvenait à maîtriser ce Pouvoir, il pourrait vaincre n'importe qui.

— Frappe-moi, ordonna le vieux chat.

Mystik inspira, expira, ouvrit le Cercle. Calife s'arc-bouta, avant de bondir de côté... mais une seconde trop tard. Mystik effleura le pelage sur l'épaule de Calife.

Un sourire où se mêlaient surprise et admiration se dessina sur le visage de ce dernier.

— Eh bien, dis-moi, tu en as fait du chemin depuis notre première rencontre, Mystik ! Mais rappelle-toi : ne prends que ce dont tu as besoin. Pas davantage. Quelle que soit l'intensité de la tentation, tu ne dois infliger de douleur que si tu n'as pas d'autre choix. Seulement si ta vie est menacée.

Ses yeux lançaient des éclairs ambrés, semblables aux premiers rayons du soleil.

— Ce qui est le cas... Maintenant, réveille-toi !

18

RASOIR AU TAPIS

Mystik émergea de son rêve dans la ruelle où il avait trouvé refuge avec Holly. Un lampadaire grésillait non loin et le disque lunaire, rond et plein, dispensait lui aussi sa lumière dans les moindres recoins de la ville. Heureusement, il fut bientôt masqué par de gros nuages noirs.

Mystik s'étira. Il était tout engourdi. Il lui fallait satisfaire un besoin naturel, aussi se leva-t-il péniblement. Il se dirigea vers un amas de détritus et se soulagea. Mais, tout d'un coup, le pelage de sa nuque se hérissa.

Il se sentait observé.

Il pivota sur lui-même pour faire face à l'entrée de la ruelle... et regretta immédiatement de l'avoir fait.

La nuit, dit-on, tous les chats sont gris. Dans ce cas, la chatte blanche qui le contemplait de son œil bleu aussi froid que la glace faisait exception à la règle. À la place de l'autre œil ne demeurait plus qu'une orbite vide.

Son pelage était d'une propreté impeccable, mais elle n'avait que la peau sur les os. Il se dégageait d'elle une odeur de ténèbres, d'humidité malsaine et de mort.

Elle était accompagnée d'une dizaine de chats de gouttière, au regard en acier trempé, au cou musculeux, aussi crasseux que les artères de la ville. Bien qu'ils soient plus gros que la chatte blanche, ils faisaient pâle figure à côté d'elle.

— Bien dormi, fiston ? demanda-t-elle d'une voix aigrelette. Tu t'es bien... soulagé ?

Mystik, incapable de répondre, la contemplait bouche bée. Elle était musclée, mais ses côtes saillaient, marbrées de cicatrices. Si elle avait l'air

solide sur ses pattes, elle paraissait néanmoins
« bancale ».

— Tu sais que tu n'es pas sur ton territoire, ici,
n'est-ce pas ? dit-elle en agitant ses griffes d'un
blanc métallique. Et tu n'aurais jamais dû faire ce
que tu viens de faire sur le territoire de quelqu'un
d'autre, surtout si ce quelqu'un d'autre... c'est
moi.

Elle lui adressa un sourire de guingois, mais
son œil unique resta froid comme la pierre. Mystik n'entretenait aucun doute quant à l'identité
de son interlocutrice. Pas étonnant que la pauvre
Ratatam fût terrorisée par Ellie-la-Désossée.

— Réponds quand la Patronne te parle,
gronda un matou strié de balafres.

Mystik le reconnut immédiatement : Rasoir.

Pendant ce temps, Holly s'était réveillée et elle
était venue se placer à côté de Mystik.

— Il ne l'a pas fait dans l'intention de te manquer de respect, dit-elle en fixant Ellie. Il est nouveau dans ces parages.

Elle se sentait mal assurée sur ses pattes, mais
sa voix n'en laissait rien paraître.

— Un nouveau, hein ? Tiens donc.

La queue de la chatte blanche se mit à remuer

de façon menaçante. Elle adressa un hochement de tête au balafré.

— Rasoir, pourquoi ne m'en a-t-on pas informée ?

L'expression du matou changea du tout au tout. L'arrogance céda la place à la crainte. Au grand étonnement de Mystik, Rasoir se mit à trembler.

— Je... je ne pensais pas que c'était important, Patronne. Ce n'est qu'un... chat domestique...

Un éclair stria l'air... et Rasoir poussa un hurlement de douleur avant d'enfouir son visage dans ses pattes. Une nouvelle blessure lui déchirait le visage, rouge sang. Quelques gouttes perlaient au bout des griffes de la chatte blanche.

— Tu n'es pas là pour penser, Rasoir, feula-t-elle. Tu es censé *tout* me dire. Et si tu ne réussis pas à faire ton boulot correctement, je trouverai quelqu'un pour te remplacer. C'est clair ?

Rasoir fit oui de la tête, tout en s'efforçant de refermer sa blessure à l'aide de ses coussinets.

— Alors, débrouille-toi pour savoir d'où sort ce nouveau venu. Il ne m'étonnerait pas qu'il ait quelque chose à voir avec les Disparitions. César et Balthazar, vous surveillez mademoiselle.

Rasoir et ses deux acolytes s'approchèrent de Mystik et de Holly.

— Tu ne pouvais pas attendre que nous soyons rentrés chez nous ? murmura cette dernière. Tu nous as mis dans de beaux draps !

— Nous pourrions nous échapper en sautant par-dessus ces murs, suggéra Mystik.

— Ils nous rattraperaient. Surtout, ne leur dis pas où je crèche, hein ? Et ne leur parle pas des ruelles que je fréquente...

Rasoir tança Mystik du regard.

— Alors, comment t'appelles-tu, trouble-fête ?

— Mystik.

— Et d'où viens-tu ?

— De Mésopotamie.

Le visage de Rasoir se tordit de colère, à tel point que certaines de ses cicatrices menacèrent un instant de se rouvrir...

— Très drôle... D'où viens-tu *vraiment* ? Où dors-tu, quand tu ne squattes pas sur ce territoire ?

Mystik se tourna vers Holly. Que répondre sans divulguer son secret ?

La seule solution était le silence.

— J'écoute, insista Rasoir.

Il n'y avait d'autre bruit dans la ruelle que le grésillement du lampadaire. Les yeux de Rasoir transperçaient de haine le malheureux chaton. Il fallait qu'il soutienne ce regard.

Ne pas fléchir.

Ne pas détourner les yeux.

— Alors ? s'impatienta Rasoir.

Quelque part dans le lointain, un monstre fit entendre son rugissement. Rasoir cligna des yeux et fit mine de se retourner. Mystik relâcha son attention. À ce moment précis, une griffe lui lacéra la joue. Celle de Rasoir.

Le chaton tomba à la renverse, étourdi de douleur, la tête en feu.

— Je vais te donner une leçon à ma façon dont tu te souviendras, petit morveux.

Et les coups se mirent à pleuvoir. Le sang coulait abondamment de sa blessure, aveuglant Mystik. Holly tenta bien d'intervenir, mais César et Balthazar la tenaient en respect.

— Alors, tu n'es pas si malin que ça, hein ? exultait Rasoir, qui jouait de ses griffes avec la virtuosité d'un guitariste sur les cordes de son instrument. Je peux t'achever quand je veux, mais je peux aussi me montrer compréhensif. Seulement, il faut parler... parler ! Pigé ?

Il matraqua les côtes de Mystik, qui recula jusqu'au tas d'ordures. Il était toujours debout, mais plus pour longtemps.

Le Cercle en mouvement, le Cinquième Pouvoir. *Tu peux esquiver tous les coups, frapper n'importe quel ennemi, remporter n'importe quel combat*, lui avait dit Calife, dans son rêve. C'était sa seule chance.

Mystik vit Rasoir s'approcher pour porter l'estocade. *Inspire-deux-trois-quatre.* Le chaton sentit une boule d'énergie gonfler au creux de son estomac. *Expire-deux-trois-quatre.* Le temps suspendit sa progression.

Inspire-deux-trois-quatre. Rasoir le frappa au ralenti. *Expire-deux-trois-quatre.* Mystik décrivit un cercle en mouvement.

Inspire-deux-trois-quatre.

Rasoir manqua sa cible.

Expire-deux-trois-quatre.

Pas mal ! songea Mystik.

Il voyait les autres qui le contemplaient, éberlués. Holly, comme frappée de stupeur, le regardait bouche bée.

Rasoir découvrit les dents, chargea de nouveau, mais il semblait comme empêtré dans des sables mouvants. Mystik ouvrit son cercle, laissa libre cours à l'énergie qui s'était accumulée en lui... et frappa Rasoir avec toute la force dont il était capable.

Tchac !

Entre les yeux.

19
MYSTIK L'INVINCIBLE

Rasoir avait basculé en arrière. Mystik avait touché sa cible ! Mais le fidèle lieutenant d'Ellie-la-Désossée en avait vu d'autres. Il avait mené des campagnes autrement plus violentes sur le champ de bataille et s'apprêtait déjà à repartir à l'assaut.

— Assez ! ordonna Ellie.

Mystik leva les yeux vers l'entrée de la ruelle, mais la chatte blanche avait disparu. Envolée.

Puis une voix demanda derrière lui :

— Où as-tu appris à faire ça ?

Il pivota sur lui-même, aperçut une vague lueur blanche, mais elle avait encore disparu.

— Qui t'a appris ça ? feula-t-elle à l'intérieur de la tête de Mystik.

Avant qu'il ne comprenne ce qu'il lui arrivait, elle l'avait cloué au sol. Le corps squelettique, blanc comme les os, se trouvait au-dessus de lui. L'œil bleu lui forait l'intérieur du crâne. Le chaton avait perdu le rythme de sa respiration... et tout s'accéléra de nouveau. Il était sorti du Temps ralenti.

— Réponds-moi ! hurla Ellie en silence. Qui t'a appris ?

Mystik ne pouvait pas bouger, encore moins aller se cacher.

— Calife ! répondit-il.

L'œil unique d'Ellie-la-Désossée miroitait dans le clair de lune.

— Calife ? répéta-t-elle, incrédule. Mais il est mort depuis plus de cinquante ans ! Qu'aurait-il bien pu t'apprendre ? Et que sais-tu de lui ? Que sais-tu ?

— Le T... Temps ra... ralenti, balbutia Mystik. Le Cercle en mouvement...

Ellie cligna de l'œil plusieurs fois, comme prisonnière d'une mécanique enrayée.

— Alors, c'est toi ?

Il crut discerner de la crainte sur son visage.

— C'est toi ?

Avant que Mystik n'ait le temps de trouver une réponse astucieuse à cette étrange question, un long rugissement rauque emplit l'air de la nuit. Tous les chats tournèrent la tête pour lui faire face.

À l'entrée de la ruelle, bloquant le passage, se trouvait un nouveau genre de monstre, presque aussi grand qu'un homme. Il était noir et ses poils étaient durs et hérissés, comme des piques de métal.

Sa bouche était remplie de dents jaunes et pointues, qui dégoulinaient de bave.

Il aboya encore plus fort et avança en direction des chats.

Le gang d'Ellie-la-Désossée fut saisi de terreur. Rasoir, César et Balthazar déguerpirent comme un seul chat, qui par les escaliers de secours, qui par-dessus les murs.

— Revenez ! Bande de lâches ! Nous pouvons le battre si nous nous y mettons tous ! eut beau crier Ellie-la-Désossée, ils ne l'écoutaient plus.

Le reste de la bande partit lui aussi se mettre à l'abri aussi vite que possible.

La chatte blanche, toute de guingois, secoua la tête avec mépris. Elle se releva à contrecœur, libérant Mystik de son emprise.

— Nous poursuivrons cette conversation un autre jour, dit-elle.

Il y eut un bref éclair blanc, et elle disparut.

Le temps d'un battement de cœur, Mystik et Holly se retrouvèrent donc seuls face au molosse.

Un vrai colosse !

Ce dernier semblait en proie à la plus vive confusion. Il aboyait contre les murs, mais ne cherchait pas à poursuivre les fugitifs.

— Alors, c'est bien vrai tout ce qu'on raconte au sujet d'Ellie, fit Holly dans un souffle.

Elle leva les yeux au ciel et ajouta :

— Je ne sais pas ce qu'il s'est passé, tout à l'heure, mais je jurerais que tu leur as flanqué une de ces frousses, à ces gros bras... C'était risible.

La tête de Mystik lui tournait, comme s'il était aux prises avec cinquante Cercles en mouvement. Ellie-la-Désossée connaissait Calife. Elle connaissait le Don, et l'utilisait mieux que lui. Elle n'avait même pas peur de ce monstre.

— Merci de ne pas avoir vendu la mèche, au sujet de mon territoire, dit Holly.

Le monstre braqua sur eux son regard brouillé et avança prudemment, lourdement dans leur direction.

— Filons d'ici avant qu'il ne nous dévore ! lança Holly.

Il était si énorme qu'il aurait sans doute pu les assommer tous deux d'un seul coup de queue.

Mystik se mit à réfléchir. Qu'aurait fait Calife en pareille situation ? Il aurait eu recours au Deuxième Pouvoir : la Conscience.

Aussitôt, le chaton se mit à fixer le chien droit dans les yeux. Ils étaient noirs, mais on y discernait comme un voile opaque. Un écran de tristesse... Son immense carcasse exhalait une odeur de peur, pour ne pas dire de terreur.

Il aboya de nouveau, produisant un vacarme assourdissant.

Mystik ne bougea pas.

Il continua de le regarder droit dans les yeux, sans fléchir. S'il n'avait pas affronté récemment un chien rugissant, il se serait sauvé à toutes pattes. Mais, comparé à ces monstres de métal, cet animal pusillanime ne pesait pas lourd !

— Qu'est-ce que tu fabriques ? hurla Holly.

Ma parole, il est tombé sur la tête ! Il m'aura tout fait, celui-ci ! Allons-y !

Mystik leva les yeux. Il pourrait probablement s'enfuir en sautant un mur ou en se réfugiant sur une corniche, comme les sbires d'Ellie-la-Désossée. Mais à la place, il décida de se fier à son instinct.

Or son instinct lui dictait de ne pas s'enfuir en courant, de ne pas céder à la panique. Cette fois, il allait tenir bon et faire reculer l'ennemi.

— Ne crains rien, dit-il au monstre de sa voix la plus calme.

L'animal ouvrit grandes ses mâchoires. Sa gueule était assez vaste pour engloutir Mystik en une seule bouchée.

— N'aie pas peur, murmura-t-il.

Sourd à ces incantations, le monstre se jeta sur Mystik...

Temps ralenti !
... et Holly partit se mettre à l'abri...

Cercle en mouvement !
... mais Mystik resta bien campé sur ses quatre pattes...

La Marche dans l'ombre ?
... mauvaise pioche.

Le monstre le percuta de plein fouet. Le monde se mit à tourbillonner et ce fut de nouveau le trou noir.

— Parfois, il est utile de disparaître, dit Calife.

Mystik se trouvait en Mésopotamie, où l'air embaumait la cannelle et les dattes mûries au soleil. Il souriait. Content d'être de retour.

Quoi qu'il arrive dans le monde réel, repartait toujours en Mésopotamie dans ses rêves.

Calife se tenait à côté de lui, à l'ombre d'un mur. Et soudain... plus personne. Envolé !

— Calife ? appela Mystik, sidéré.

Son ancêtre avait complètement disparu. Même son odeur s'était volatilisée.

— Mystik, mon fils, c'est bien moi, répondit la voix du vieux chat.

Mais Mystik ne distinguait que l'ombre au bas du mur. Il secoua la tête.

— C'est impossible, décréta-t-il.

Calife apparut alors de nouveau devant lui.

— Rien n'est impossible.

Mystik tenta une autre tactique.

— C'est peut-être possible pour toi, mais je ne suis pas toi, Calife, et je ne peux pas faire ces choses. Je ne peux ni devenir invisible, ni parler avec les chiens.

— Que tu dis ! Si tu crois une chose impossible, répondit calmement son ancêtre, alors tu n'arriveras jamais à tes fins. Mais si tu crois vraiment le contraire, alors tu seras capable d'accomplir n'importe quoi.

Mystik songea aux tentatives avortées de chasser le pigeon avec Holly et Ratatam. Holly pensait que c'était impossible, mais Mystik lui avait répondu qu'il était sûr du contraire. Il suffisait de connaître la bonne méthode.

Peut-être se trouvait-il dans une situation similaire. Et Calife se proposait de lui montrer la Voie, de le faire profiter de son Don extraordinaire.

Cela ne valait-il pas la peine d'essayer, encore et encore ?

Il hocha la tête.

— Apprends-moi, Calife.

— La Marche dans l'ombre est le Sixième Pouvoir, expliqua le vieux chat. Pour marcher dans l'ombre, tu dois t'abandonner toi-même. Comme lorsque tu guettes ta proie et que tu

deviens ta proie, sauf qu'à la place tu deviens...
rien.

— Comment ça ?

— Rien du tout. Tu n'es plus rien. Tu te fonds
dans l'ombre. Tu ne fais plus qu'un avec l'air
ambiant et le sol sur lequel tu reposes. Tu te
laisses complètement aller. Vas-y, mon fils, essaie.

Mystik s'approcha tout près du mur, en se for-
çant à disparaître. « Je suis une ombre, songea-
t-il. Personne ne peut me voir, je suis invisible. »

— Tu penses trop fort, dit Calife. On ne
marche pas dans l'ombre grâce à la pensée. Après
tout, les ombres ne pensent pas. Ne pense à rien.
Vide ton esprit de ses pensées.

Mystik s'efforça de ne penser à rien. Mais il se
rendit compte qu'il pensait... à ne penser à rien !
Il tenta de vider son esprit ; mais son esprit était
plein d'images du vide.

— Maintenant, tu te forces, alors ça ne vient
pas naturellement... constata Calife. Il est peut-
être trop tôt. Tu dois te connaître toi-même, être
sûr de toi, avant de pouvoir t'abandonner. Sais-
tu qui tu es ?

Mystik fronça les sourcils.

— Que veux-tu dire ?

— Un grand philosophe de la Grèce antique,

nommé Socrate, avait pour devise : « Connais-toi toi-même. » C'était selon lui la clé de la vie. Réfléchis-y, Mystik.

Calife se fondit dans l'ombre du mur.

— Réfléchis bien. Car ta vie en dépend.

20
UN ALLIÉ DE POIDS

Quand Mystik se réveilla, il était allongé sur le bitume, son épaule le faisait terriblement souffrir et Holly avait pris la poudre d'escampette.

Le monstre au poil hérissé de piquants, semblable à un porc-épic géant, se tenait au-dessus de lui et lui soufflait son haleine fétide en pleine figure.

De temps en temps, une goutte de bave venait s'écraser sur le visage du chaton.

Mystik révisa aussitôt son jugement : ce monstre dégoulinant était bien pire qu'un chien ! Il fallait qu'il fasse quelque chose.

Pourquoi pas la Marche dans l'ombre ? Le Sixième Pouvoir.

Ne pense à rien. Vide ton esprit de ses pensées.

Mystik se concentra.

Rien.

Rien du tout.

Rien de rien.

Mais ce n'était pas facile. Pour l'heure, son esprit était obnubilé par la douleur. Son épaule le faisait tellement souffrir ! Il ne pouvait *pas* ne penser à rien, s'oublier lui-même, s'abandonner.

Au désespoir, Mystik contempla les murs de brique de chaque côté de la ruelle. Il avait l'impression qu'ils l'enserraient comme un étau. Si seulement il avait pu parvenir jusqu'à la corniche...

Il essaya péniblement de se relever, mais c'était trop douloureux.

Il n'y avait plus d'issue de secours.

Il était pris au piège.

C'était la fin.

C'est alors que la gueule béante du monstre s'ouvrit pour l'engloutir.

— Bod... ouah... ann, dit alors celui-ci d'une voix profonde, caverneuse, sépulcrale.

Mystik le contemplait, hébété.

Le monstre cligna de ses yeux torves, tout embrumés d'émotion. Puis il lécha une des pattes du chaton.

— Bodann, répéta-t-il.

Mystik agita fébrilement les oreilles, pas tout à fait sûr de ce qu'il avait entendu.

— C'est ton nom ? Bodann ?

— Ouah !

Le monstre haletait. Un sourire timide apparut au coin de sa bouche.

— Bodann, affirma-t-il.

Mystik lui rendit son sourire. Après tout, Bodann n'allait peut-être pas le dévorer tout cru.

— Moi, c'est Mystik, dit-il. Je m'appelle Mystik.

— Mys Stik ? Mys... ouah ! Mystik. Mystik !

Ce n'était pas un prénom facile à prononcer pour un monstre tel que lui. Il était plus familier des sonorités rugissantes que des préciosités félines.

— C'est ça, Bodann. Je m'appelle Mystik, dit le chaton, qui n'en demandait pas tant.

— MYSTIK ! MYSTIK ! MYSTIK ! parvint à aboyer Bodann.

— Tu y es ! triompha Mystik, qui ne croyait pas à sa chance.

En signe de reconnaissance, Bodann se baissa pour lécher l'épaule blessée du chaton. Ses grands yeux noirs étaient embués d'inquiétude.

— Désolé, Mystik. Voulais pas... Ouaf ! Te faire du mal...

Le colosse secoua la tête et une gerbe d'énormes postillons se déversa sur le chaton. Réprimant une moue de dégoût, ce dernier répondit simplement :

— T'inquiète. J'aurais dû m'enfuir, comme les autres, au lieu de te tenir tête.

— Bodann av... ouah... r peur. Mystik pas peur ?

— Non, répondit le chaton.

Cette grosse créature maladroite commençait à lui plaire. Bodann avait l'air d'une bête féroce, mais au fond il semblait doux comme un agneau.

— Bodann tout seul, av...ouah-t-il en reniflant. Tout le monde s'enfuit quand il v...ouah Bodann. Pas d'amis.

Mystik regarda de nouveau Bodann dans les

yeux. Il y reconnaissait, oui, sa propre douleur, ses propres craintes, sa propre solitude.

— T'en fais pas, Bodann. Tu n'es pas seul. On sera amis, toi et moi.

— Ouah...mis ? Ouah... mis ? ! ! Amis ! !

C'est alors qu'une voix rocailleuse s'exclama :

— Cette fois, j'aurai tout vu ! D'abord, il a frappé Rasoir entre les deux yeux, mais là, il s'est surpassé, le Mystik de Mésopotamie !

Holly sauta du sommet du mur où elle avait trouvé refuge.

— Tu as réussi. Tu as parlé à un chien ! Si on m'avait dit...

Elle secoua la tête.

— C'est incroyable, inouï, c'est...

— UN CHIEN ? ? ! ! s'écria Mystik, effaré.

Bodann aboya de bonheur.

— Oui, un chien, répondit Holly, qui gardait ses distances. Tu croyais que c'était un éléphant ?

Mystik se releva, oubliant son épaule et la douleur.

— Mais il ne ressemble pas aux autres chiens.

— Quels autres chiens ?

— Tu sais. Ceux qui sont en métal.

Holly eut un mouvement de recul.

— Je n'ai jamais vu de chien en métal.

Au loin, on entendit un crissement de pneus et un mugissement impitoyables.

— Tiens, en voilà un, justement, lança Mystik en dansant d'une patte sur l'autre.

Holly échangea un regard interrogateur avec Bodann.

— Ce n'était pas un chien. C'était une voiture.

— Une quoi ?

— Une v...ouah...ture, aboya Bodann. Les v...ouah...tures, c'est du tonnerre ! Vouahmm ! Vrroumm !

Mystik n'aurait pu si bien dire. Un tonnerre de feu et de poussière...

— C'est amusant, tu sais ? poursuivit Bodann. Moi, je leur cours après pendant mes l... ouah... Sirs !

— Alors... ce ne sont pas des chiens ? ! s'exclama le chaton, tout estourbi.

Holly se rapprocha de lui, plus en confiance.

— J'ai bien entendu ? Tu croyais parler à des chiens pendant tout ce temps, alors que tu essayais en fait de parler à des...

— v...ouah...tures ?

Holly et Bodann ne purent réprimer un fou rire.

— Ha ! Ha ! Vouah...ah...ah !

Mystik ne savait plus où il était ni où il en était. Il fallait reprendre depuis le début. Les monstres métalliques étaient des chiens, il en était sûr. Mais à bien y réfléchir, qui d'autre que lui-même les avait appelés chiens ?

Personne.

Il avait présumé que c'étaient des chiens.

Nuance.

Parce qu'ils correspondaient à la description qu'avait faite Noé. Ils emplissaient le cœur de crainte, ils avaient mauvaise haleine et ils produisaient un vacarme assourdissant. Et enfin, ils semblaient suffisamment forts pour tuer un homme.

Mais il devait admettre que Bodann répondait lui aussi à tous ces critères.

La Conscience. Le Deuxième Pouvoir. *Avant toute chose, tu dois savoir à qui, ou à quoi, tu as affaire. Ne présuppose rien. Ne t'appuie que sur des faits avérés.*

Il n'avait pas appliqué cette consigne. Il avait failli se tuer en essayant de parler à une voiture ! Une erreur de débutant. Pas le genre d'erreur que commettrait un chat maîtrisant le Don. Ni Ellie-la-Désossée.

Holly se tordait de rire.

— Mystik... le chat qui murmurait à l'oreille des voitures ! Ha ! Ha ! Ha !

— V...ouah... ouah... ouah... !

Le chaton commença par froncer le museau, un peu vexé, puis il ne put résister et se joignit à la liesse générale.

C'est alors que l'évidence le frappa de plein fouet.

— Bodann est un chien !

Holly redoubla de rire.

Bodann est un chien, se répéta Mystik.

Avec l'aide d'un chien, il pourrait peut-être encore sauver sa famille et l'arracher aux griffes du gentleman et de ses chats. Si seulement il était encore temps !

— Bodann, j'ai besoin de ton aide. J'ai besoin que tu fasses peur à un homme. Tu peux le faire ?

Bodann s'arrêta instantanément de rire et redevint très sérieux. Il se dressa de toute sa hauteur et découvrit les crocs. À ce spectacle, Holly elle-même resta figée...

— Bodann faire peur à tout le monde, sauf à Mystik.

— Alors, allons-y, il n'y a pas une minute à perdre.

Il se tourna vers Holly.

— Tu viens avec nous ?

— Où ça ?

— Au sommet de la colline. À nous trois, nous allons sauver ma famille.

Holly leva les yeux vers le ciel étoilé, où trônait un croissant de lumière argentée. Elle huma l'air, où flottait un discret parfum de cannelle.

— C'est de la folie, décida-t-elle. Mais nous sommes grillés dans ces parages. Ellie-la-Désossée va sans doute nous rattraper au tournant. Nous ne sommes plus en sécurité dans cette ville.

Elle se leva à son tour.

— Alors, d'accord, monsieur-le-chat-mystique-aux-pouvoirs-surnaturels, je te suis.

Elle lui adressa un clin d'œil.

— Où tu iras, j'irai...

À ce moment, Mystik sentit monter en lui une bouffée de bonheur.

— Merci, répondit-il. Mes amis.

21
LE RETOUR DU CHAT PRODIGUE

Le ciel s'était assombri et l'orage menaçait. Les trois amis prirent la direction de la colline en un temps record. Mystik leur expliqua la situation en chemin.

Il n'espérait plus qu'une chose : qu'il ne serait pas trop tard. Maintenant que son père avait pris la tête de la famille, Mystik se demandait comment il s'était débrouillé face aux chats du gentleman. Il craignait surtout que ces derniers n'aient fait du mal aux bleus de Mésopotamie.

Il avait pu se passer tellement de choses pendant sa longue absence ! La maison avait dû beaucoup changer. Les souvenirs de fauteuil en velours rouge, d'écuelles remplies de caviar et de rideaux de dentelle n'étaient plus qu'autant d'illusions... Disparus à jamais...

Ce qui n'avait pas disparu, constata Mystik lorsqu'ils parvinrent au sommet de la colline, c'était le mur d'enceinte de la maison de la Comtesse. Sa mémoire ne l'avait pas trompé sur ce point.

Un éclair zébra le ciel et, quelques secondes plus tard, un énorme coup de tonnerre déchira le silence de la nuit.

— C'est par ici, indiqua Mystik. Nous devons escalader ce mur.

Soudain, des torrents de pluie s'abattirent sur le trio, comme autant de fouets minuscules, dont les fines lanières leur lacéraient le corps, le nez, les yeux, les oreilles.

Après cette course, Mystik tenta de reprendre son souffle, mais sa bouche se remplit d'eau et il manqua s'étouffer.

Il leva la tête vers le sommet du mur et aperçut la lune, qui riait jaune. *Abandonne*, semblait-elle lui dire. *Abandonne, va-t'en et ne reviens jamais.*

Mais Mystik n'en croyait pas ses yeux : ce qu'il contemplait, ce n'était pas cet obstacle infranchissable qui les avait tenus prisonniers, lui et sa famille, pendant toutes ces années, mais un petit mur de pierre en piteux état, bien moins haut que ceux qu'il avait eu l'occasion d'escalader en ville.

Était-ce bien l'endroit qu'il avait quitté ? Ou tout avait-il changé en son absence ?

Il y avait une porte dans le mur. Il la poussa, mais elle ne s'ouvrit pas. Verrouillée. Il longea le mur, en quête de quelque souvenir familier. Un second éclair révéla des fissures dans certaines pierres, où la mousse avait élu domicile. En haut du mur, il apercevait les branches difformes de vieux arbres courbant l'échine… et, un peu plus loin, il reconnut cet arbre dont il était tombé la nuit de sa fuite.

Il en palpa l'écorce humide et un sourire de soulagement se dessina sur son visage. Il reconnaissait ce lieu, maintenant. Bien sûr, rien n'avait changé. Rien ne changerait jamais.

C'est lui qui avait changé !

Il se tourna vers ses deux amis.

— Allons-y ! s'écria-t-il avec enthousiasme. Il y a des arbres de l'autre côté, nous pourrons redescendre facilement.

Mais Bodann tremblait. De nouveau, ses yeux étaient embués de crainte.

— P... peux p...pas grimp... per... bredouilla-t-il. Bodann pas pouv...ouah...r grimper...

Mystik contempla cette force de la nature avec stupéfaction.

— Tu ne peux pas ?

— Bien sûr que non ! intervint Holly. Tout le monde sait que les chiens ne savent pas grimper... On serait dans de beaux draps s'ils en étaient capables !

Le chaton n'en croyait pas ses oreilles.

— Les chiens ne peuvent pas *grimper...* ?

— Eh bien, tu comprends vite, mais il faut t'expliquer longtemps ! persifla Holly. Bon, c'est le seul moyen d'entrer ? Oui, je le devine à ton expression.

Ils étaient si proches du but. Mais ce mur, ce vieux mur de pierre, se tenait une fois encore en travers de son chemin.

— Bodann demande pardon, fit une petite voix timide. Veut aider Mystik...

Un autre éclair jaillit du sol. Le tonnerre roula

comme mille tambours. L'eau ruisselait sur le visage de Mystik comme autant de larmes. Mais c'était étrange : l'orage ne l'effrayait plus comme avant. Bien au contraire, la force des éléments déchaînés semblait pénétrer en lui depuis les moustaches jusqu'à la queue. Il se remplissait de leur puissance sauvage, jusqu'à ne plus faire qu'un avec eux.

Impossible de rebrousser chemin maintenant. Avec ou sans chien, il allait retrouver sa famille.

— Ce n'est pas grave, Bodann. Tu n'auras qu'à nous attendre ici. Viens, Holly. Entrons à l'intérieur.

Ils abandonnèrent Bodann, recroquevillé sous un arbre, tout tremblant. Les deux chats s'élancèrent et eurent tôt fait de franchir le mur d'enceinte. De l'autre côté, ils traversèrent un labyrinthe de branchages entrelacés.

Couvert par le bruit de la pluie et du tonnerre, celui de leurs pas était imperceptible. Ils parvinrent rapidement devant la chatière.

— Voilà, nous sommes arrivés, murmura Mystik en se glissant à l'intérieur. C'est la maison de la Comtesse.

Ils se retrouvèrent dans le couloir.

Vide.

Le battant de la chatière se referma derrière eux. Holly se retourna immédiatement, d'instinct. Elle poussa de l'extrémité d'une patte, mais le battant demeura fermé.

— Laisse-moi essayer, dit Mystik.

Il poussa à son tour, mais rien à faire. La chatière s'était verrouillée de l'intérieur.

— Alors, si je comprends bien, on peut entrer ici mais pas en ressortir ? fit Holly.

— Le gentleman a dû la modifier, répondit Mystik, qui sentait un nœud se former au creux de son estomac.

Ce n'était pas bon signe.

Il parcourut le couloir du regard. Les fenêtres aux verres épais étaient fermées, les rideaux de dentelle baissés. Tout avait l'air normal, à ceci près que, comme le mur d'enceinte, tout semblait beaucoup plus petit et plus vieux que dans ses souvenirs.

Ces tapis élimés, ces meubles passés... En comparaison de ce qu'il avait vu dans la ville, ils ressemblaient davantage à des articles de brocante qu'à la décoration d'une vraie maison, habitée par de vrais êtres humains.

Le silence rendait l'atmosphère encore plus étrange : on n'entendait aucun des bruits de la ville, ici. Il n'y avait pas âme qui vive, non plus. Ni la famille, ni le gentleman, ni ses chats noirs.

Il régnait cependant une forte odeur de chats, comme s'il y en avait un grand nombre à proximité. Les moustaches de Mystik frémirent. Ce n'était pas normal. Où se cachaient-ils donc tous ?

Mystik et Holly s'ébrouèrent pour sécher leur pelage et avancèrent sans bruit dans le couloir. Au sommet de l'escalier, la porte de la chambre de la Comtesse était fermée. Mystik tendit l'oreille.

Il venait de percevoir un son. Une longue plainte aiguë, douloureuse. Et, tout au fond du couloir, il lui sembla entendre des chats parler.

— Je vais voir au premier étage, chuchota Holly. Toi, tu examines le rez-de-chaussée. Au cas où je les trouverais, à quoi ressemblent les membres de ta famille ?

Mystik hésita.

— Eh bien, à moi, bien sûr ! Sauf que ce sont de vrais bleus de Mésopotamie, eux. Alors, leur pelage est plus beau que le mien. Mais prends garde, Holly : si tu vois un homme, ou deux chats noirs, sauve-toi vite fait ! Ils sont dangereux.

Elle le regarda avec ce qui aurait pu passer

pour de la tendresse si elle n'avait été d'un naturel si « coriace ».

— Toi aussi, Mystik, prends garde à toi.

Holly monta l'escalier. Quant à Mystik, il poursuivit son exploration du couloir. Il s'efforçait de vider sa tête de toute pensée, comme Calife le lui avait recommandé, afin de parvenir à marcher dans l'ombre. Mais c'était peine perdue. Les pensées continuaient de le bombarder.

Où était sa famille ? Tout le monde était-il en bonne santé ? Seraient-ils tous contents de le voir ? Ou bien l'avaient-il déjà oublié ?

Il entendait distinctement des voix, désormais, qui provenaient du salon. La porte était entrouverte. Il s'approcha tout près, en prenant garde de ne pas se faire voir, et glissa un œil à l'intérieur.

Ils étaient là, tous les bleus de Mésopotamie, vivants et en bonne santé !

Le chaton ressentit un soulagement immense. Il n'était pas arrivé trop tard ! Il ne leur avait pas fait faux bond !

Par contre, aucun signe du gentleman ni de ses chats...

Apparemment, un conseil de famille était en train de se dérouler. Dans le fauteuil de velours rouge de la Comtesse, Mystik eut la surprise de découvrir... Julius. Les autres étaient assis en arc de cercle devant lui et tripotaient leur collier en l'écoutant parler.

— Je m'en moque, dit Julius.

— Mais ce genre de choses ne se produit pas sans raison, répliqua Léopold, son père. Ne devrions-nous pas essayer de comprendre ce que ça signifie ?

Le menton relevé, Julius bomba le torse.

— Maintenant, c'est moi le chef de famille. Quelqu'un n'est pas d'accord ?

Il y eut quelques murmures de protestation, vite étouffés. Mystik observait la scène, pétrifié.

Que de changements depuis son départ ! Julius avait réservé à son père le même sort que ce dernier à Noé... Il se comportait désormais en véritable chef de gang.

— Puisque nous sommes tous d'accord, dit le frère aîné de Mystik, je déclare ce conseil clos.

L'heure était grave. Mystik inspira fortement et pénétra dans le salon.

Tous se retournèrent vers lui comme si c'était un étranger.

22

LE COMBAT DES CHEFS

— Mystik ? fit Léonie, sa mère. C'est bien toi, mon chéri ? Regardez, vous tous, il est revenu !

— Mystik ! ! s'écrièrent ses frères cadets.

— Ooohh... Myyystiikkk ! minauda Jasmine.

Aussitôt, tout le monde oublia Julius et se concentra sur le « revenant ». Il reçut un accueil de héros.

— Mystik ! s'écria Léopold. Nous pensions t'avoir perdu pour toujours.

— Il a... grandi, n'est-ce pas ? observa Jasmine d'un œil avisé.

De toute évidence, cette constatation n'était pas pour lui déplaire.

— Bienvenue à la maison, Mystik ! renchérit tante Agathe.

Enfin ! Il était de retour chez lui, auprès de ceux qu'il aimait !

Tous ronronnaient et le regardaient d'un air admiratif : sa mère, son père, tante Agathe, Jasmine, Méphisto, Mika et Makila. Ils semblaient tous si heureux de le voir !

Enfin... presque tous.

— Où étais-tu, mon fils ? demanda Léopold.

— À l'extérieur.

— Et Noé ?

Mystik secoua la tête tristement.

— Parti. Pour toujours... Pour le paradis...

À ce moment, Julius vint s'interposer entre Mystik et ses parents.

— Te voilà de retour, microbe ! Fort bien. Mais tu ferais mieux de te mettre au parfum, et rapido ! Les choses ont changé depuis ta... disparition, annonça-t-il. Désormais, c'est moi le boss, le chef de famille.

Il releva la tête et la tourna légèrement de côté, à la manière d'un empereur romain.

— Tu te souviens que... hum... notre père avait remplacé ce vieux gaga de Noé. Mais ça n'a pas duré.

Léopold baissa les yeux, visiblement humilié.

— Toi aussi, mon fils... murmura-t-il, dépité, décapité pour ainsi dire.

Brandissant le poing, Julius déclama :

— Oui, maintenant, c'est moi qui suis assis sur le trône. Moi qui préside aux destinées de la noble armée des bleus de Mésopotamie.

De nouveau, il bomba le torse, comme pour appuyer ses dires.

Il avait grandi par rapport au souvenir que Mystik en avait gardé. Son corps avait forci et gagné en puissance. Son collier lui serrait le cou. Il avait l'air très bien nourri.

Mystik jeta un coup d'œil oblique en direction de son père. Ce dernier semblait vieux et fatigué à côté de Julius. Il ne fallait pas être grand clerc pour deviner qui gagnerait s'ils s'affrontaient.

Un tel combat avait peut-être déjà eu lieu...

— Félicitations, dit Mystik, du bout des lèvres.

— Ce n'est pas tout ce qui a changé, ajouta son père.

— Non, l'interrompit Julius. Nous avons la vie beaucoup plus facile qu'avant, plus agréable aussi.

Il appuyait sur quelque chose avec une de ses pattes : la souris en plastique.

— Le gentleman est très bon pour nous.

— Lui ? s'insurgea Mystik. Ce sont ses chats qui ont tué Noé !

Plusieurs exclamations de surprise accueillirent cette révélation. Mais Julius se contenta de prendre l'air ennuyé et de plisser le nez.

— Tu mens, lâcha-t-il effrontément, en enfonçant ses griffes dans la souris.

Elle était tout abîmée, le pelage tout mangé.

— Le gentleman nous adore. Ses chats sont nos amis. Pourquoi auraient-ils fait une chose pareille ?

— Ils voulaient nous empêcher de passer à l'extérieur, répondit Mystik.

— Eh bien, c'est la meilleure preuve, quand je vous le dis ! plastronna Julius. Ils essayaient de vous aider, de vous protéger. Vous faisiez quelque chose de dangereux pour vous-mêmes.

Mystik aurait bien voulu lui clouer le bec, mais il n'était pas doué pour les reparties cinglantes.

— Julius a raison, fit Léonie, diplomatiquement. Le gentleman continue de nous offrir cette nourriture délicieuse tous les jours. Quant à ses chats...

Julius lui décocha un regard noir. Elle toussota et changea rapidement de sujet :

— Mais regarde-toi, mon chéri. Comme tu as grandi ! Et ces cicatrices sur ton visage... Tu as tellement changé que je te reconnais à peine !

Quelles cicatrices ? s'étonna Mystik.

Puis il se rappela Holly, Rasoir et Ellie-la-Désossée.

Il en sourit.

Le monde extérieur avait laissé ses marques sur lui...

— Hum, eh bien, disons que je me suis bagarré par-ci par-là...

Une voix semblable à du lait ourlé de miel caressa l'oreille de Mystik. Celle de sa cousine Jasmine.

— Dis donc, Mystik, tu n'es plus un chaton ! Tu es un adulte, maintenant.

Elle se rengorgea en faisant onduler son pelage impeccablement soigné.

Mystik dressa l'oreille. Il avait toujours préféré sa cousine Jasmine à ses frères.

— Il sera toujours notre chaton, insista Léonie. D'ailleurs, il n'a pas fait sa toilette... comme d'habitude !

Elle entreprit de lécher le pelage de Mystik, de lisser sa belle fourrure argentée aux reflets bleutés. Il se laissa faire. Il laissa la langue chaude de sa mère le purifier de l'eau de l'orage, de la suie de la ville, le débarrasser de l'odeur du monde extérieur.

— C'est ça, triompha Julius en lançant une œillade à Jasmine. Ce sera toujours un minou à sa maman.

Jasmine lui tira la langue avec dédain.

— Alors, ça ressemble à quoi, dehors ? demanda Méphisto d'un ton envieux.

— Qu'est-il arrivé à ton collier ? interrogea Mika.

— Et comment as-tu attrapé ces cicatrices ? s'enquit Makila.

— Je vais vous le dire, répondit Mystik.

De toute évidence, Julius ne l'entendait pas de cette oreille, mais il resta silencieux.

— Je vous raconterai tout. Donnez-moi juste le temps de reprendre mon souffle.

Il marqua une pause.

— Surtout que je n'ai rien mangé depuis une éternité...

Mystik ne raconta pas ses rêves à sa famille. Il pensait qu'ils ne comprendraient pas. Mais il raconta la ville : les rixes, les amis, les Disparitions. Étrange de parler enfin de tout cela à quelqu'un. Cela lui semblait presque irréel. Un rêve à partir du rêve. Les bleus de Mésopotamie, jeunes et vieux confondus, l'écoutaient en silence, captivés par sa description de la vie en dehors de la maison.

Lorsque Mystik en arriva à sa rencontre avec Bodann, Julius lui-même avait baissé la garde.

— Mystik a auréolé de gloire notre famille, déclara solennellement Léopold, quand son fils en eut terminé.

Mystik s'efforça de rester humble, mais ce n'était pas facile...

— J'ai toujours dit qu'il nous ferait honneur si nous lui apportions une bonne éducation, renchérit Léonie, radieuse.

Jasmine ronronnait en papillonnant des paupières. Mika, Makila et Méphisto le considéraient d'un œil nouveau, avec une expression empreinte de respect.

Mais Julius tenait à reprendre ses droits.

— C'est une belle histoire, commenta-t-il en tripotant négligemment la souris de plastique. Mais ce n'est qu'une histoire, n'est-ce pas ? Je te connais, Mystik. Tu es une poule mouillée. Alors, tu n'as certainement pas accompli la moitié de ce que tu nous as raconté.

Les pupilles du « chef de famille » rétrécirent, comme s'il cherchait à regarder à l'intérieur de Mystik, à déchiffrer son âme à l'aide d'un rayon laser. Puis il gonfla son pelage, pour paraître encore plus impressionnant.

La gorge de Mystik se serra. La dernière chose qu'il voulait, à l'heure de savourer son triomphe, c'était un duel avec son frère aîné. Il se tourna vers la cheminée. Les braises avaient refroidi.

— Oui, parfois j'ai eu peur, je l'admets. Mais tout ce que j'ai dit est vrai.

— Petit insecte chétif ! lâcha Julius. Pour qui te prends-tu ? Comment oses-tu venir ici parader comme un paon ? Tu crois que tes histoires à dormir debout intéressent quelqu'un ?

— Julius... roucoula Jasmine. Je crois que tu es tout simplement... jaloux !

Son cousin choisit d'ignorer cette pique.

— Il n'est même pas comme nous. Ce n'est pas, cela n'a jamais été et ce ne sera jamais un bleu de Mésopotamie pur sang.

Puis il décocha un coup de patte à la souris, qui fut projetée à trois mètres de là.

— Ce n'est pas vrai, Julius, gronda Léopold, qui avait conservé un peu de son mordant d'antan. Il est évident que Mystik est un authentique bleu de Mésopotamie. Seul l'un d'entre nous aurait pu accomplir de tels exploits.

— Non, non et non, persista Julius, excédé. C'est un misérable ver de terre.

Le sang de Mystik ne fit qu'un tour.

— Ne m'insulte pas ! protesta-t-il.

Toutes ces années, il avait été en butte aux moqueries, voire aux insultes de son frère aîné et il ne le supporterait plus. Plus maintenant.

— Insecte ! répéta Julius.

— Je n'aime pas ça ! Ça ne m'a jamais plu ! le mit en garde Mystik.

— C'est ce que tu es. Viens te battre, si tu es un bleu !

Mystik sentit un déclic en lui.

— D'accord ! Je te prends au mot, s'entendit-il dire.

— Non, Mystik ! s'écria Jasmine. Il va te tuer !

Julius feula de colère.

La malheureuse Jasmine se recroquevilla sur elle-même.

Mystik et Julius se mirent à tourner l'un autour de l'autre. Tous les autres membres de la famille firent cercle autour d'eux et les regardèrent en retenant leur souffle.

Mystik inspira *deux-trois-quatre* et se fondit lentement dans le Temps ralenti. Julius le toisait de ses yeux verts, découvrant les dents. Mystik fit de même. Julius parut surpris.

— Allez, viens, Julius ! Écrase-moi comme un moustique, défia Mystik.

Julius, qui n'en demandait pas tant, se jeta sur son frère cadet.

Il était vif pour un chat de son gabarit, mais Mystik était plus rapide, plus agile, un Cercle en mouvement exsudant l'énergie. Il esquiva Julius, qui mordit l'air. Ses dents s'entrechoquèrent violemment.

Il avait dû se faire mal.

— Ne me traite plus jamais d'insecte ! commanda Mystik.

Julius poussa un rugissement de tigre. Il agita

une longue patte bleue argentée, musculeuse, sous le nez de Mystik. Mais une fois encore, ce dernier l'emporta en rapidité. Julius manqua sa cible et ne parvint qu'à éventrer le fauteuil en velours.

Mika, Makila et Méphisto pouffèrent de rire.

Se moquaient-ils du Cercle en mouvement, les petits impertinents ?

Mystik se retourna pour les regarder. Non, c'était Julius qui faisait les frais de leur hilarité. Il sourit, mais alors qu'il se tournait de nouveau vers Julius, celui-ci lui décocha un coup de griffe sans pitié.

Mystik, dont la vigilance s'était relâchée, bascula en arrière.

— Insecte ! aboya Julius. Maintenant, je suis vraiment en colère.

Pendant les minutes qui suivirent, la bataille fit rage, furieuse, sans concession. Mystik dut mobiliser toutes ses forces pour maintenir son Cercle en mouvement. Julius jeta lui aussi toute sa puissance dans ce combat sans merci et, soudain, décocha un coup si violent en direction de Mystik que celui-ci allait difficilement pouvoir l'éviter.

Il inspira *deux-trois-quatre*, s'enfonça profondément dans son Cercle, sentit la force monter en lui. Et lorsque le coup de Julius s'abattit, le Cercle ne rompit pas. Mystik le repoussa, utilisant la force de son frère contre lui. De nouveau, Julius s'écrasa face contre terre.

Mystik sourit de toutes ses dents. Jamais il n'avait à ce point maîtrisé le Cinquième Pouvoir. Il exultait de bonheur... et de vie.

« Finis-le, songea Mystik. Maintenant. Donne libre cours à ton énergie. Il ne pourra plus jamais se battre. Fais-le ! »

« Non. »

— Assez, dit-il.

« Assez. *Juste ce qu'il faut et pas davantage.* »

Julius secoua la tête.

— Ce n'est que le commencement, riposta-t-il, pantelant. Insecte !

Et Julius de s'élancer dans les airs, hors de lui, les griffes écartées.

Mystik passa en mode « Temps ralenti ».

Patatras ! Julius termina sa voltige dans la cheminée. Tout couvert de cendre, il leva des yeux verts de rage vers Mystik. Il essaya de se relever. Impossible.

C'était terminé.

Il était K.-O.

— Bravo, Mystik ! s'écria Jasmine en applaudissant.

— Mystik, Mystik ! renchérit la famille à l'unisson.

— Mystik, Mystik, Mystik ! !

Il ferma les yeux et savoura sa victoire, douce comme la cannelle. Il avait réussi, enfin. Il était devenu un vrai bleu de Mésopotamie.

C'est alors qu'une voix rauque se fit entendre.

— Mystik, c'est toi ?

Le cœur de Mystik s'arrêta de battre.

23

HOLLY EN MAUVAISE POSTURE

— Holly ?

— Mystik, c'est affreux ! Un vrai cauchemar !

Mystik s'apprêtait à courir vers Holly pour lui exprimer sa joie et sa fierté d'avoir vaincu Julius, mais il lut sur le visage de son amie l'expression d'une telle horreur que son sourire se figea.

— Oh, Mystik, c'est épouvantable ! Nous devons sortir d'ici tout de suite.

Et elle leva la tête vers les vitres vertes, épaisses, verrouillées.

— Que se passe-t-il ? demanda Mystik, sidéré.

— Les Disparus... Ils sont ici.

Elle était toute frémissante.

— L'homme dont tu as parlé n'est pas là, ni ses chats noirs. Mais il y a une pièce là-haut avec une grande cage, et des centaines de chats à l'intérieur. Seulement...

Elle marqua une pause, comme si elle ne parvenait pas à se convaincre de poursuivre.

— Seulement quoi ?

Elle ferma les yeux, comme pour effacer une vision horrible.

— Ils ne sont pas vivants.

— Désolé de t'interrompre, Mystik, dit Léonie, mais qui est-ce ?

Tous les bleus de Mésopotamie inspectaient la nouvelle venue d'un œil sévère.

— Holly, je te présente ma famille, dit Mystik. Maman, papa, tout le monde, voici Holly.

Cette dernière comprit vite à quelle sauce elle allait être mangée.

— Ne t'inquiète pas, je trouverai bien une issue. Occupe-toi des tiens. Moi, je prends la poudre d'escampette.

Léopold fronça les sourcils et se tourna vers Mystik.

— Tu connais cette chatte ?

Mystik, lui, ne comprenait toujours pas.

— C'est Holly. Vous savez bien ? Mon amie de l'extérieur, dont je vous ai parlé...

Léopold laissa échapper une moue de dégoût. Puis il tourna carrément le dos à l'intruse. Tous les autres membres de la famille l'imitèrent.

— Nous ne sommes pas à l'extérieur, lâcha-t-il. Dis à cette chatte de partir.

Mystik eut l'impression de recevoir une gifle. Il échangea un regard avec Holly. Elle ne semblait guère surprise de cette réaction.

— Comment as-tu osé faire ça ? chuchota Léonie. Je n'aurais pas cru ça de toi.

— Mais vous ne comprenez pas ? Elle va nous aider à nous enfuir d'ici.

— Mais nous ne voulons pas partir d'ici. Où irions-nous ? Qui nous donnerait à manger ? répondit sa mère.

Holly n'était guère surprise de la réaction de ces « chats de luxe », qui ne connaissaient rien de la « vraie vie » telle qu'elle se vivait dans les rues de la grande ville. Mais elle voulait en avoir le cœur net :

— Vous n'avez donc pas vu ce qu'il se passe là-haut ? Votre gentleman, comme vous dites, s'il vous donne à manger, ce n'est pas pour vos beaux yeux ! Vous le savez, j'espère ?

Léopold continua de l'ignorer et de s'adresser exclusivement à Mystik :

— Nous n'avons jamais mis les pieds là-haut, à cause des chats noirs. Mais nous savons qu'il y a d'autres chats au premier étage.

— Vous le savez ? interrogea Mystik, horrifié.

— Le gentleman les ramène à la maison, expliqua Léopold. Il leur donne à manger. Oh, il ne leur offre pas de caviar, comme à nous, mais des aliments bon marché. Il en a des sacs entiers dans la cuisine. Il les maintient en vie jusqu'à...

Le père de Mystik marqua une pause. À cet instant précis, Mystik eut pitié de lui.

— Hum... en fait, nous ne savons pas exactement ce qu'il se passe ensuite, mais nous savons tous que le gentleman ne nous ferait jamais de mal... à nous.

— Vous avez tort, répondit Holly. Ce sont eux aujourd'hui, et ce sera vous demain.

— Nous sommes différents, répondit Léopold, qui faisait toujours mine de ne s'adresser qu'à Mystik. Nous sommes spéciaux. Nous sommes des bleus de Mésopotamie. Quant à ces chats de gouttière...

Il haussa les épaules avec mépris.

— ... Ce sont des rien du tout.

— Je vous demande pardon ? ! s'écria Holly, les moustaches en ordre de bataille.

— Des *moins que rien* précisa tante Agathe. Ces idiots méritent leur sort, croyez-moi.

En entendant ces paroles, Mystik eut un haut-le-cœur. Il ne savait que dire ni que faire. Il regarda sa mère, son dernier recours.

— Nous savons de quoi nous parlons, mon chéri, dit-elle d'une voix posée, mesurée : nous n'allons nulle part.

La tête de Mystik lui tournait. Peut-être avaient-ils raison et Holly tort. Le gentleman ne leur avait pas encore fait de mal. Peut-être ne leur en ferait-il jamais.

— Nous avons besoin de toi, Mystik, dit Jasmine de sa voix empreinte de suavité candide.

— Vous avez besoin de moi ?

Léopold hocha la tête, avec le plus grand sérieux.

— Bien sûr que nous avons besoin de toi, mon fils. C'est toi le chef de famille, maintenant. Tu ne peux pas nous abandonner.

— Tu as battu Julius, observa Méphisto.

— Julius était un dur, un caïd, un tatoué ! ajouta Mika en grimaçant.

— Si tu l'as vaincu, c'est que tu es le meilleur, conclut Makila.

Mystik était déchiré. Il lui fallait choisir entre sa famille et sa meilleure amie...

...*Vlan !*

La porte d'entrée de la maison venait de nouveau de s'ouvrir et de se refermer en claquant.

Clac ! Cloc !

Le gentleman marchait dans le hall, sans doute flanqué de ses deux chats noirs à la silhouette effilée.

— Allez, s'exclama Holly, c'est maintenant ou jamais !

Elle se précipita dans le couloir.

Mystik, lui, resta comme scotché sur le sol. Il voulait la suivre, mais d'un autre côté, il venait d'être sacré chef de famille.

Enfin, il accédait au statut de pur bleu de Mésopotamie !

Elle se retourna vers lui.

Il ne bougea pas.

En l'espace d'une seconde, dans le regard

moutarde de Holly, il vit que la barrière invisible les séparait de nouveau.

Comme ses autres amis auparavant, Mystik allait l'abandonner, ce qu'elle avait craint depuis leur première rencontre.

Au moment même où elle avait voulu les aider, lui et sa famille, il allait lui faire faux bond. La trahir pour ces bleus de Mésopotamie qui l'avaient traitée avec tant de mépris.

— Je suis le pire ami du monde, murmura-t-il.

— Arrête, dit-elle. Ne dis pas un mot de plus.

Mystik la regarda bondir comme si elle s'était brûlé une patte, et se précipiter vers la porte d'entrée.

Dans le hall, les chats du gentleman l'attendaient de pied ferme. Avec leur cruauté soyeuse, ils firent barrage à leur nouvelle victime et la plaquèrent au sol, en parfaites machines de guerre qu'ils étaient.

C'est alors que la Conscience de Mystik entra en action. Il enregistra leurs mouvements souples, l'image de leurs corps fusant vers l'avant.

Il avait vu beaucoup de chats en ville, à commencer par Ellie-la-Désossée, mais ces deux-là étaient uniques. On aurait dit qu'ils n'éprou-

vaient aucune émotion. On aurait dit des animaux mécaniques.

Comment lutter contre eux ? se demanda Mystik. Ils le détruiraient, comme ils avaient détruit
Noé.

Il se tourna vers les siens, qui étaient sortis du
salon, mais personne ne le regardait.

Le gentleman se pencha vers les chats noirs et
glissa quelques mots à l'oreille de l'un d'entre
eux, qui alla aussitôt se poster devant la porte
d'entrée de la maison.

Quant à l'autre, il resta en position, immobili-
sant Holly. Son regard se posa alors sur Mystik,
qui ressentit une étrange sensation de froid.

Il fit un pas en direction du chat noir. Celui-ci
le toisa avec arrogance. Tel un coq courroucé,
Mystik monta sur ses ergots, offrant un spectacle
autrement plus impressionnant que celui de
Julius vert de rage, quelques instants plus tôt.

— Non, mon fils, intervint Léopold. Tu vas
nous mettre en danger.

— Laisse-les tranquilles, ordonna Léonie, et
ils ne nous feront aucun mal.

Mystik s'en voulait terriblement. Après tout ce
qu'ils avaient vécu ensemble, il avait abandonné
Holly aux griffes des deux « clones ».

C'est lui qui l'avait amenée en ce lieu.

Elle aurait pu s'enfuir, mais elle était restée.

Et il ne pouvait lui venir en aide, car sa famille en pâtirait.

Lui, c'était un bleu. Pas elle.

Aussi regarda-t-il, impuissant, Holly traînée par l'un des deux « clones » mécaniques jusqu'en haut de l'escalier.

Elle ne se débattit même pas.

L'instant d'après, elle avait disparu.

Le gentleman monta à son tour. Le chat noir qui gardait la porte finit par le suivre.

Il y eut un long moment de silence.

— Je suis fier de toi, mon fils, dit Léopold.

— Je savais que tu prendrais la bonne décision, renchérit Léonie.

— Quel affreux animal ! commenta Jasmine.

Sa voix était caressante comme du lait.

Mais le lait avait tourné.

Et de surcroît, il avait *mal* tourné.

24
PRIS AU PIÈGE

Ce soir-là, Mystik rêva.

Il rêva qu'il marchait au bord du Tigre.

Les palmes des dattiers oscillaient dans la brise parfumée à la cannelle.

Il contemplait les étoiles constellant le ciel de la Mésopotamie : elles ne lui paraissaient plus aussi étranges, désormais. Elles faisaient partie de lui, tout comme il faisait partie de cet endroit. L'atmosphère y était paisible. Il y était chez lui.

L'enseignement dispensé par Calife était sans doute exigeant, mais il ne présentait pas autant de difficultés que le monde réel, où il fallait prendre des décisions, où l'on était exposé à des dangers, où l'on courait sans arrêt le risque d'échouer.

Calife avançait à ses côtés, de sa démarche tranquille, lumineuse.

— Le savoir de générations de bleus de Mésopotamie, menacé d'être perdu à jamais, t'a été transmis dans sa totalité... hum... ou presque, dit-il.

Au creux de son estomac, Mystik sentit une boule de chaleur irradier dans tout son corps. Il éprouvait une telle fierté ! Maintenant, c'était lui le dépositaire du Don de Calife.

Du moins en rêve...

— Il te reste un Pouvoir à maîtriser, poursuivit l'aïeul. Mais je ne peux pas te l'enseigner. Je ne puis te dire que son nom.

En l'écoutant parler, Mystik se demanda ce que l'ancêtre des bleus de Mésopotamie pensait vraiment de lui. Calife n'avait jamais répondu à cette question.

Le vieux chat aurait-il été fier de constater que Mystik était resté solidaire de sa famille ?

— Quel est le Septième Pouvoir, Calife ?

Les moustaches de ce dernier vibrèrent à l'unisson de la brise.

— Le Septième Pouvoir est la Confiance en soi. Voilà.

— Ah ?

Calife n'en dirait pas davantage

— Ta formation est maintenant terminée. Il te reviendra de transmettre le Don aux générations futures.

Il s'approcha du bord de l'eau.

— Attendez, s'il vous plaît ! protesta poliment Mystik. Je ne comprends pas. Montrez-moi ce que vous voulez dire. La Confiance en soi, comment l'acquiert-on ?

— La Confiance en soi est un Pouvoir, tout comme l'Ouverture d'esprit, répondit Calife. Mais si le Premier Pouvoir consiste à s'ouvrir sur l'extérieur, le Septième consiste à regarder au plus profond de soi. C'est le plus difficile à maîtriser. Pour quelqu'un qui estime ne pas être digne de lui-même, ce pourrait être impossible.

Mystik garda la tête haute, essayant d'échapper au regard ambré de Calife. Mais il ne pouvait échapper aux paroles de son ancêtre. Elles lui allaient droit au cœur.

— Que t'ai-je enseigné, mon fils ? Qu'un chat doit être libre, doit être vrai. Hum... Par cela, j'entends qu'il doit être fidèle à lui-même. Quand tu as dit que tu n'étais pas digne d'être un bleu de Mésopotamie, je ne savais pas si je devais en rire ou en pleurer.

Mystik baissa les yeux humblement.

— Vois-tu, mon enfant, ce que tu es et l'endroit d'où tu viens n'ont aucune importance à mes yeux. La seule chose qui compte, c'est ce que tu fais. Nous sommes ce que nous choisissons d'être. Un chat qui applique le Don est un vrai bleu de Mésopotamie. Tout ce que tu dois faire, c'est avoir confiance en toi et te dire que tu es digne d'être un bleu.

— Mais, et mes yeux...

— Tes yeux ?

— Ils ne sont pas de la couleur habituelle pour les bleus de Mésopotamie.

— Ah non ? s'étonna le vieux chat. Et de quelle couleur sont-ils ?

— Ils sont de la couleur du danger.

— C'est-à-dire ?

Mystik hésita.

— Je ne sais pas, admit-il. Je ne les ai jamais vus.

— Approche, mon fils.

À son tour, Mystik s'approcha du bord de l'eau.

— Regarde-moi, dit Calife. Suis je digne d'être un bleu de Mésopotamie ?

— Bien sûr que tu l'es !

— Maintenant, regarde dans l'eau, dit Calife. Que vois-tu ?

Mystik contempla la surface immobile du Tigre. Il vit les étoiles qui scintillaient tout au fond. Il vit la lune qui se levait à l'est.

Et il découvrit deux chats au pelage bleu argenté et aux yeux couleur d'ambre qui le regardaient tranquillement.

Mystik se réveilla dans le salon de la maison où il avait grandi. Il faisait noir à l'extérieur. Sa famille était assemblée autour de lui.

Son esprit était semblable au ciel après un orage. Tout lui paraissait clair et net et il savait ce qu'il devait faire.

D'un bond, il sauta sur le fauteuil en velours rouge. Personne n'essaya de l'arrêter, ni son père, ni Julius. C'était *son* fauteuil. Le pouvoir lui appartenait, et lui seul pouvait décider de la manière dont il voulait en user.

— Maintenant dit-il, je veux la vérité. Quelqu'un a-t-il revu la Comtesse depuis que le gentleman est arrivé dans cette maison ?

Tous secouèrent la tête.

— Alors, si nous ne tentons pas quelque chose pour nous sortir de ce guêpier, nous serons à sa merci. Nous sommes tous condamnés.

Léonie haussa un sourcil et se tourna vers les petits. Mika, Makila et Méphisto tremblaient de peur. Mais Léopold ne broncha pas.

— Passe-t-il beaucoup de temps ici ? demanda Mystik.

— Il est souvent à l'extérieur, répondit Léopold.

— Et les chats noirs ? Est-ce qu'ils l'accompagnent ?

— Mystik, c'est toi le chef de famille, intervint Julius. Je ne te dispute pas cet honneur. Mais pourquoi nous poses-tu ces questions ? Pourquoi ne pas accepter les choses telles qu'elles sont ?

— Je ne sais pas ce qu'il se passe là-haut, dit à son tour Léonie, mais cela ne nous affecte pas, mon chéri. Nous sommes différents. Tu fais peur à tes frères, et ils vont encore faire des cauchemars, c'est tout ce que je vois...

— À moi aussi, tu me fais peur, fit Jasmine en se tortillant sur place.

Mystik leva une patte pour obtenir le silence.

— Vous vous trompez. Nous ne sommes pas différents. Nous ne sommes pas spéciaux. Nous sommes des chats comme les autres.

Tous le regardèrent avec des yeux verts exorbités, comme s'il était devenu fou.

— Ces chats ont tué Noé pour nous empêcher de partir. Votre prétendu gentleman a des plans pour nous. J'en suis certain.

Un murmure parcourut l'assemblée. Ils réfléchissaient mais ils n'étaient pas encore convaincus.

— En admettant que tu aies raison, dit Léopold, comment pourrions-nous lutter contre ces chats noirs ? Ils sont trop forts.

— Pas du tout, contra Mystik. Si nous agissons ensemble, nous y parviendrons. L'union fait la force ! Alors, qui veut se joindre à moi ?

Léonie, Léopold et tante Agathe tournèrent la tête. Julius et Jasmine firent de même, tout comme Mika, Makila et Méphisto.

Sans un mot, Mystik quitta alors le salon, dignement, la tête haute. Il se sentait incapable de les contraindre à agir contre leur gré, même en usant des Sept Pouvoirs à la fois !

Une fois dans le couloir, il se hâta de gagner le pied de l'escalier. Il savait que Holly se trouvait au premier étage et il était fermement décidé à la sauver. Avec ou sans l'aide des siens.

Il inspira fortement.

Il allait devoir utiliser le seul Pouvoir qu'il maîtrisait complètement : la Marche dans l'ombre.

Il se remémora son rêve. *Tu dois te connaître toi-même, être sûr de toi, avant de pouvoir t'abandonner. Sais-tu qui tu es ?*

Il se détendit, se laissa aller et se fondit dans les ombres au pied de l'escalier. Il ne percevait plus du monde extérieur que des bribes de vision.

L'un des chats du gentleman apparut au sommet de l'escalier et regarda vers le bas.

Allait-il repérer Mystik ?

Non, son regard le traversa comme s'il était invisible. Mystik posa une patte sur la première marche. Le chat noir ne réagit pas. On aurait dit que le bleu de Mésopotamie n'existait plus.

Le chat noir retourna dans la chambre de la Comtesse. C'était le moment de vérité.

Mystik éprouvait une sourde angoisse, mais il

fallait qu'il connaisse la vérité au sujet du gentle-man, des Disparitions et de la chambre de la Comtesse. C'était pour lui le seul moyen de sau-ver Holly.

La Conscience en éveil, les moustaches à l'affût, Mystik se glissa à l'intérieur de la chambre telle une ombre de la nuit.

La cage dont Holly avait parlé était bien là.

Munie d'une solide porte en métal et recou-verte de fil de fer barbelé.

Remplie de chats de gouttière sans collier.

Tous pétrifiés de peur, et qui miaulaient leur douleur.

Soudain, le gentleman pénétra dans la chambre de la Comtesse et s'approcha de la cage. Ses lèvres roses et humides luisaient dans la pénombre, tout comme ses chaussures cirées de frais. Aussitôt, tous les prisonniers se massèrent au fond de la cage.

Il ouvrit la lourde porte de métal en actionnant un levier, et Mystik le vit attraper un chat tigré par la peau du cou, puis refermer la porte. Sans attendre, et sans un mot pour ses victimes, il res-sortit de la chambre.

Mystik n'avait qu'une envie : prendre ses jambes à son cou pour échapper à ce cauchemar.

Mais il venait d'apercevoir, recroquevillées dans un coin de la cage, Holly et... miracle !... une petite chatte au pelage chocolat, terrorisée : Ratatam.

Elles chuchotaient. Il s'approcha pour écouter ce qu'elles disaient.

— Où emmène-t-il ce chat tigré ? demanda Holly.

— Va-t'en savoir ! Mais une chose est sûre, c'est qu'on ne le reverra pas, le malheureux. Une fois qu'il t'attrape, c'est fini.

Elle frissonna.

— Ça ne prend pas longtemps, précisa un autre chat.

Dans l'ombre, les oreilles pointées vers le ciel, les moustaches aux aguets, Mystik se sentit défaillir. Que se passait-il dans cette maison ? Et pourquoi avait-il la bouche si sèche ?

— N'y a-t-il aucun moyen de sortir de cette cage ? demanda encore Holly.

— Tu crois que nous n'avons pas essayé ? répondit Ratatam. Elle ne s'ouvre que de l'extérieur. Et même si nous pouvions l'ouvrir, comment ferions-nous pour échapper à ces odieux chats noirs ? Ce sont eux qui nous ont placés là où nous sommes. Et ils montent constamment la garde.

Mystik sentit de nouveau cette étrange sensation de froid. L'impression d'être observé par quelque chose qui n'était ni tout à fait vivant ni tout à fait mort. Le chat noir ne pouvait en être responsable, parce qu'il ne regardait pas dans sa direction.

La gorge serrée, jugulant sa peur du mieux qu'il pouvait, Mystik s'en remit à sa Conscience. Et il finit par comprendre d'où provenait cette sensation étrange.

Ce n'était pas un seul regard qui était posé sur lui, mais une multitude.

Il y avait d'autres chats dans la chambre, empilés les uns sur les autres dans un grand carton. Ils ne bougeaient pas, ne parlaient pas, ne respiraient pas.

Mystik en regarda un dans les yeux. Ceux-ci étaient grands ouverts mais leurs paupières ne battaient pas.

Normal, ce n'étaient pas des yeux. C'était du verre coloré, brillant, avec une fente noire dessinée au milieu.

Il ressemblait au jouet qu'il avait aperçu dans la grande ville. Mais il était éteint.

Le gentleman revint avec le chat tigré. Mais ce dernier n'était plus du tout le même. Il était devenu totalement immobile.

Il ne respirait plus.

Ses yeux étaient morts. Du verre coloré.

Il portait un nouveau collier autour du cou. Le gentleman appuya sur le collier. L'instant d'après, le chat tigré ouvrit la bouche pour parler.

Mystik savait exactement ce qu'il allait dire :

— Je vais très bien, merci s'il vous plaît... Heureux, heureux, heureux... Joooyyyyeuuuxx Nooooëëëlllll ! Mmmm... hi...hi...hi...aouuuu ! !

25
Un chien vaut mieux que deux tu l'auras

Lorsqu'il entendit les chaussures du gentleman claquer sur le sol, une fureur noire s'empara de Mystik. En le voyant quitter de nouveau la chambre et se diriger vers l'escalier, flanqué du chat noir, il comprit qu'il n'y avait pas une minute à perdre. S'il agissait tout de suite, il aurait l'avantage de la surprise.

Il émergea de l'ombre.

Aussitôt, les miaulements cessèrent. Tous les

occupants de la cage le regardaient. Des centaines d'yeux, luisant de vie dans la pénombre.

Comment les libérer ?

Le gentleman n'avait pas complètement abaissé le levier qui verrouillait la cage. Il n'en fallut pas plus à Mystik pour se lancer à l'assaut de la forteresse en fil de fer barbelé. Les pointes s'enfonçaient dans ses coussinets, mais il pouvait au moins s'en servir pour prendre appui. C'était plus facile que d'escalader le mur d'enceinte de la maison !

Une fois parvenu à la bonne hauteur, Mystik s'agrippa au levier et tira de toutes ses forces. La porte de métal s'ouvrit.

Il fut remercié par une cacophonie de miaulements. Tous ces chats, prostrés quelques secondes auparavant, avaient instantanément recouvré leur énergie. Ils se bousculèrent pour sortir. C'était à qui retrouverait le premier la liberté !

— Attendez ! s'écria Mystik. Nous devons unir nos forces...

Mais personne ne l'écoutait. C'était une véritable mêlée. Un tohu-bohu extraordinaire. Il fut néanmoins interrompu par des hurlements stridents.

La cohue s'immobilisa tant bien que mal.

Tel un danseur, Mystik se fraya un chemin parmi les évadés. Il découvrit alors les deux chats noirs au sommet de l'escalier. Ensemble, ils étaient terrifiants. Impossible de franchir ce mur de cruauté glacée.

Un peu partout, gisaient les cadavres des chats qui étaient sortis de la chambre les premiers. Les deux clones les avaient balayés d'un coup de patte. Assommés.

C'est alors qu'un mouvement de reflux vers la cage faillit emporter Mystik. Mais il poursuivit sa progression à contre-courant et se retrouva bientôt face aux deux chats noirs.

Il se sentait étrangement calme. Pas question de retourner en arrière. Pourtant, il ne s'agissait plus seulement de combattre Julius ou Rasoir.

C'était un défi d'une autre taille. Une question de vie ou de mort.

Il fixa les deux chats noirs, inspira fortement, remplissant ses poumons. La puissance montait en lui, comme une force vivante. Le moment qu'il avait attendu toute sa vie était arrivé. Il allait administrer la preuve qu'il avait mûri, qu'il avait retenu et assimilé les leçons de Califes. Bref, qu'il était bel et bien un vrai bleu de Mésopotamie, un dur, un tatoué !

Quatrième Pouvoir : le Temps ralenti. Il inspira autant d'air que possible et ralentit son temps intérieur.

Cinquième Pouvoir : le Cercle en mouvement. Mystik avança vers les chats du gentleman vibrant d'une pulsation irrésistible qui le rendait invincible.

Sixième Pouvoir : la Marche dans l'ombre. Mystik s'évanouit comme par enchantement.

Les moustaches des chats noirs tressaillirent, comme s'ils savaient que quelque chose allait se passer, mais en même temps ignoraient quoi.

Le Cercle en mouvement de Mystik le souleva dans les airs et il dessina un arc de vengeance qui allait s'abattre sur ses ennemis. Il vengerait Noé, Holly et Ratatam. Et tous ceux qui avaient disparu.

Mystik se mit à jouer des griffes, telle une bête furieuse. Il lacéra, déchira, broya. Mais il ne coulait aucune goutte de sang du visage des chats noirs. Comment était-ce possible ?

Il frappa l'un des deux « clones », de toutes ses forces, mais le chat noir resta debout.

Aussitôt vint un coup en retour, incroyablement rapide, si bien que Mystik, même en Temps ralenti, ne l'esquiva que de justesse.

Les chats noirs échangèrent un autre regard et se précipitèrent sur Mystik, comme ils avaient fondu, il y a bien longtemps, sur le malheureux Noé. Deux corps en symbiose parfaite, aux mouvements souples et lisses. Ils approchèrent de Mystik, un de chaque côté, comme pour le prendre en tenailles. Mystik dessina le Cercle le plus grand qu'il puisse imaginer. Se déplaçant à la vitesse de l'éclair, il repoussa un coup, puis un autre, et encore un autre.

Le Cercle tenait bon. Il se sentait animé d'une énergie intarissable. Mais les chats se montraient plus résistants que prévu. Lentement, mais sûrement, ils repoussaient Mystik vers la chambre de la Comtesse. Et finalement, l'un des deux parvint même à pénétrer à l'intérieur du Cercle.

Les défenses de Mystik tombèrent d'un coup. Il partit à la renverse, déséquilibré. Les deux bêtes noires se jetèrent sur lui et le plaquèrent au sol. Mystik eut beau se débattre, rien à faire, l'ennemi avait remporté la bataille.

Il parvenait à peine à respirer.

Mais où étaient les autres ? Pourquoi ne lui venaient-ils pas en aide ?

Il lui fallait se libérer ! Mais les yeux noirs lui barraient la route. Il avait eu recours à tous les Pouvoirs, mais cela n'avait pas suffi. Le Don ne suffisait pas...

Il devait pourtant bien exister un moyen de gagner, de vaincre ces monstres irréels.

Soudain, Mystik entendit une voix rocailleuse et aperçut un éclair noir et blanc.

— Les colliers !

Les colliers ? Mystik regarda le cou des chats noirs. Ils portaient un collier semblable à celui qui se trouvait autour du cou des jouets. Il scruta les yeux d'un des deux chats noirs. Ce n'étaient pas des yeux de chat. Ils étaient en verre !

En verre !

Pas tout à fait vivants ni tout à fait morts. Si le gentleman pouvait fabriquer des jouets ressemblant à des chats, il avait sans doute été capable de fabriquer des combattants mécaniques. La machine parfaite : on ne pouvait la tuer, elle ne saignait pas, n'abandonnait jamais. On pouvait la mettre en route ou l'éteindre d'une pression sur... le collier.

C'était sa dernière chance, son dernier espoir.

Il inspira autant d'air que possible et, dans un effort désespéré, attrapa un des deux chats noirs à la gorge. Puis ses dents se refermèrent sur le collier. Il mordit de toutes ses forces et arracha l'objet. Au moment où le collier s'envolait, les yeux du chat noir s'ouvrirent tout grands. Il leva bien une patte, comme pour frapper Mystik, mais elle resta suspendue en l'air. Puis, lentement, avec une certaine grâce, elle retomba mollement par terre. Un des chats noirs du gentleman était hors d'état de nuire.

Restait le second.

Mystik le savait, il ne le laisserait jamais approcher suffisamment près de lui pour lui arracher son collier. Le survivant contemplait son jumeau immobile. Sa vengeance serait terrible. Et Mystik se demandait bien comment il pourrait en venir à bout.

Le deuxième chat noir se tourna vers Mystik et avança vers lui. Il le regarda droit dans les yeux et, pour la première fois, Mystik découvrit l'ombre d'une expression. Une expression de tristesse. De tristesse terrible, infinie.

Et, contre toute attente, le chat refusa de se battre. Au contraire, il tendit le cou vers Mystik, comme pour inviter ce dernier à le débarrasser du collier. C'était un spectacle extraordinaire.

Sans sa « moitié », la machine à tuer était inutilisable.

Doucement, Mystik mordit dans le collier, qui se détacha sans peine. Les yeux du deuxième chat noir s'ouvrirent tout grands, et il s'immobilisa. C'était fini.

Il y eut un grand moment de silence puis un concert d'exclamations.

— Il a réussi !

— Il les a vaincus !

— Nous sommes *libres* !

Mais à ce moment, Mystik ne pensait qu'à une chose : où était Holly ? C'est elle qui avait compris comment arrêter les chats. C'est à elle que revenaient les lauriers.

— Ça fait réfléchir, hein, de voir ça ? fit une voix rauque derrière Mystik. Ces grands méchants chats ne pouvaient fonctionner l'un sans l'autre. C'était bien la peine !

Mystik se tourna vers elle : lui pardonnerait-elle jamais sa trahison ?

— Holly, je suis désolé. J'aurais dû revenir avec toi...

Les yeux moutarde le contemplaient avec amusement.

— Je sais. Mais heureusement pour toi, tu t'es rattrapé depuis. Parce que tu n'es pas le pire ami du monde. Et je sais de quoi je parle...

— Mystik, tu as réussi ! s'exclama Ratatam.

— Tam ! C'est si bon de te revoir !

Tous les chats hurlaient leur bonheur, mais Holly ne tarda pas à leur intimer le silence.

— Attendez ! Ce n'est pas fini. Ne vous réjouissez pas trop vite ! Nous devons trouver une sortie. Alors, je ne veux pas jouer les dictateurs, mais dans votre intérêt, je vous conseille de suivre nos indications, à Mystik et à moi. D'accord ?

Il y eut un murmure d'approbation. Mystik admira la manière dont elle avait pris le contrôle des événements. Il se sentait bien, libéré, plein d'espoir. Tout allait bien se passer maintenant...

— Alors, allons-y ! lança Holly.

Soudain, Mystik entendit une voix familière, qui appelait au secours :

— Mystik ! MYSTIK ! À l'aide ! !

C'était Julius, que brandissait le gentleman. Ce

dernier se tenait au pied de l'escalier. La colonne de chats se figea sur place.

Le cœur de Mystik s'arrêta de battre. Comment avait-il pu être assez bête pour céder si facilement aux sirènes de l'espoir ? Il n'avait pas usé de sa Conscience à bon escient.

En apercevant leur tortionnaire, les chats paniquèrent. Certains voulurent même rebrousser chemin.

Clac ! Cloc !

Le gentleman lâcha Julius et se mit à gravir l'escalier. Il vociférait si fort qu'on aurait cru des coups de tonnerre.

— Attendez ! hurla Holly. Ne vous dispersez pas !

Mais plus personne ne l'écoutait. C'était chacun pour soi. L'ombre géante du gentleman les enveloppa bientôt tous les trois : Mystik, Holly et Ratatam.

— Eh bien, je crois que c'est le moment de se dire adieu, lança Holly. À moins que nous ne tentions notre chance, envers et contre tout ?

Elle se tourna vers Ratatam puis vers Mystik.

— Qu'en dites-vous ?

— À l'attaque ! lancèrent en chœur ses deux compagnons d'infortune.

La main du gentleman était assez grande et assez puissante pour briser les os de Mystik. Mais ce dernier découvrit les dents, prêt à mordre, à se battre jusqu'à la mort.

Sourde et aveugle, la main gigantesque se referma sur son cou. Le gentleman serra...

BLING ! CRAC ! BOUM !

On aurait dit que toutes les fenêtres de l'antique demeure venaient de voler en éclats. Puis un rugissement assourdissant se fit entendre, ou plus exactement un... aboiement.

— OUAF ! OUAF !

C'était Bodann. Le molosse avait brisé les fenêtres de la maison de la Comtesse pour venir au secours de ses amis. Le gentleman se retourna, affolé. Bodann monta les marches quatre à quatre et vint se camper devant lui. Le tortionnaire n'en menait pas large. Le colosse humain était vaincu par le molosse canin.

Il tenta bien de fuir en sautant par-dessus la rampe mais, non sans avoir adressé un clin d'œil aux chats, Bodann se lança aussitôt à sa poursuite.

Le gentleman criait maman et pleurait beaucoup...

ÉPILOGUE

Le faux gentleman avait disparu pour toujours. Des cris de joie déferlèrent. Les prisonniers libérés se ruèrent vers le bas de l'escalier, vers la liberté.

Mystik, pour sa part, n'aspirait qu'à un peu de calme et de tranquillité. Mais aucune chance...

— Mystik ! Tu es un héros ! le félicita Julius. Je te demande pardon de t'avoir traité comme je l'ai fait toutes ces années...

— Pour Mystik et ses amies, hip, hip, hip, hourra ! !

C'étaient les membres de sa famille, tous les bleus de Mésopotamie au complet. Ils hissèrent le trio sur leurs épaules pour lui permettre de mieux savourer les acclamations de la foule des chats de gouttière.

Ces derniers avaient envahi toute la maison, célébrant ce jour glorieux pour la gent féline.

— Dieu des chats merci ! Toute cette malheureuse affaire est terminée, se réjouit Léonie. Mais comment allons-nous retrouver notre vie normale ?

— C'est une bonne chose qu'il y ait tous ces sacs d'aliments pour chats dans la cuisine, commenta Léopold. Ce n'est pas du caviar, mais au moins, nous ne mourrons pas de faim.

Mystik les contempla, abasourdi.

— Vous ne voulez tout de même pas dire que vous envisagez de rester ici... Après tout ce qu'il s'est passé ? !

— Nous ne pouvons aller vivre à l'extérieur, répondit son père.

— Nous sommes chez nous, ici, renchérit Jasmine.

— Mais la Comtesse ne reviendra pas... dit

Mystik. Pas plus que votre « gentleman ». Il n'y a plus que nous. Seuls au monde.

Mika, Makila et Méphisto essuyèrent une larme.

— Ne craignez rien, frérots. Nous trouverons un autre endroit où élire domicile. Tout comme Calife, quand il a quitté la Mésopotamie. Mais cette fois, ce sera vraiment chez nous, parce que nous allons bâtir notre propre « chez-nous ».

— Mys-tik ! Me rev...ouah...là ! fit une grosse voix tonitruante.

Le grand chien avait abandonné le gentleman au sort qu'il méritait. Il avait fait le mur, non sans avoir goûté aux crocs bien acérés du molosse...

— Bodann ! Tu nous as sauvé la vie ! s'exclama Mystik. Nous ne pourrons jamais assez te remercier.

Mais les bleus de Mésopotamie étaient d'un autre avis. En voyant débouler l'énorme chien, ils allèrent se mettre à l'abri.

Ratatam se tourna vers Holly, émerveillée :

— Je n'y crois pas ! Il a vraiment parlé à ce chien ? Et c'est un vrai chien ? Un vrai de vrai ?

— Oui, il s'appelle Bodann, répondit Holly. C'est un ami.

Bodann battait de la queue à tout rompre. Son

regard n'était plus noyé sous la brume, désormais. Il avait l'œil vif, pétillant de vie.

— Bodann peur du mur. Mais Bodann sav...ouah... r que ses amis besoin de lui. Alors Bodann sauter le mur... Ouaf !

Depuis la cuisine provenaient d'autres cris de joie. Certains des chats, par l'odeur alléchés, avaient déniché les réserves de caviar du gentleman...

D'autres sautaient déjà par la fenêtre, pressés de retrouver leur liberté et l'air de la grande ville.

Mystik se tourna vers sa famille.

— C'est là que je vais. Ma vie est là-bas.

— Mais... toi et tes amis, vous nous avez sauvé la vie, fit Julius. Tu es le chef de famille. Tu ne peux pas nous abandonner maintenant.

Mystik sourit à son frère aîné.

— Je crois que le temps des chefs de famille est dépassé, Julius. Il y a une autre vie au-dehors. Je vous apprendrai à chasser, à vous battre, à vivre une vraie vie... mais il faut que vous m'accompagniez.

Il les regarda les uns après les autres. Tous baissèrent les yeux et gardèrent le silence.

Mais il ne se sentit pas isolé pour autant. Bien plutôt, il se sentait libre.

— Mystik, nous te devons beaucoup, dit Léopold. Tu avais raison au sujet du gentleman, et
nous avons eu tort au sujet de tes amis. Nous avons
eu tort sur bien des points. Mais nous ne pouvons
pas aller vivre à l'extérieur avec toi. Pas encore, en
tout cas. Nous ne sommes pas prêts.

— Si tu as besoin de nous, dit Léonie, nous
serons là pour toi.

— Je comprends, fit Mystik.

Et à ce moment, pour la première fois de sa vie,
peut-être, il comprenait vraiment ce que lui disait
son père.

Ils se firent leurs adieux, puis Mystik se tourna
vers Holly et Ratatam :

— Alors, que diriez-vous de constituer un
gang ?

Ratatam hocha la tête, le sourire aux lèvres.

— Je suis partante. Ce sera quoi, mon rôle ?

— Je ne veux appartenir qu'à un gang, dit à
son tour Holly : le nôtre !

— Bodann aussi ! aboya le grand chien.
Ouaf ! Ouaf !

L'avenir leur appartenait. Tout était possible.
La matinée s'annonçait radieuse.

Déjà, le soleil déployait ses rayons ambrés, de
la couleur des yeux de Mystik.

Table

Composition JOUVE – 53100 Mayenne
N° 342103a
Imprimé en France par HÉRISSEY - 27000 Évreux
Dépôt imprimeur : 96294 - éditeur n° 44437
32.10.2142.1/01 - ISBN : 2.01.322142.8
Loi n° 49-956 du 16 juillet 1949 sur les publications destinées à la jeunesse
Dépôt légal : mai 2004